錬金王
RENKINO
ill.
人米
HITOGOME
もふもふと異世界冒険メシ
MOFUMOFU TO ISEKAI
BOUKEN MESHI

ミリアリア
冒険者の獣人。痕跡を見つけたり、採取、罠の解除などが得意。
イツキ
前世では体調を崩すことが多かったが、健康な身体で異世界を楽しむ。
シルファ
冒険者のエルフ。魔力や魔法についてイツキに教えてくれる。

シロウ
女神からもらったイツキの相棒。フェンリルという伝説の魔獣らしい。
ディアス
冒険者の男。イツキに剣術を教えてくれる。食いしん坊。
バク
不思議なスライム。家具や石など何でも食べるが、イツキの料理は大事に味わって食べる。

コにゃーーー

「もふもふに包まれて幸せ!!」

「そんなことは全部シロウに任せて、
僕は余計なことを考えずに魔法で
殲滅することだけを考えるよ」

CONTENTS

MOFUMOFU TO ISEKAI
BOUKEN MESHI

もふもふと異世界冒険メシ

錬金王

Jノベルライト文庫

〔イラスト〕人米

1話　虚弱《きょじゃく》な男の異世界転移

物心がついた時から身体《からだ》の内側に熱があるのを感じていた。

最初は意識を向ければ、ほんのりとした温かさを感じることができる程度だった。

しかし、僕の身体が成長するにつれて内側にある熱は大きくなっていき、肌をじんわりと炙《あぶ》るような熱さへと変化した。

その頃から風邪でもないのに熱だけが出たり、頭痛や倦怠感《けんたいかん》に見舞われたりといった不調が増えた。

最初はどうにもできずに体調を崩すことが多かったが、内側にある熱を制御すれば体調を崩《くず》す頻度《ひんど》は減ると小学生の頃に気づいた。

しかし、それでも不調が無くなることはない。

疲れが溜《た》まって内側にある熱が抑えきれなくなれば、体調を崩してしまう。

その度《たび》に早退をしたり、両親に迎えにきてもらうことも多い。

そのせいかほかの友人たちとも思いっきり遊ぶこともできず、学校行事などにもまともに参加することができなかった。部活動や習い事などはもってのほか。

そんな病弱な僕に友人、ましてや彼女などできるはずもなく、灰色の青春を謳歌《おうか》する羽目《はめ》になった。

症状は常に変わり、いくつもの病院で精密検査をしてみたが原因は不明。

子供なので免疫《めんえき》が弱いのだろうと判断されたが僕が高校へ進学し、社会人となった今でも身体の不調は治ることがなかった。

むしろ、成長するにつれて内側にある熱は大きさと熱量を増しており、熱や頭痛、倦怠感といった症状は強まるばかりだった。

「……またか」

誰もいなくなったオフィスで残業をしていた僕は、内側にある熱がじんわりと強くなるのを感じた。

かすかな頭痛が襲《おそ》い掛かり、倦怠感が這《は》い寄《よ》ってくるのを感じる。

いつものやつだ。熱が強くなれば、それらの症状が出てくる。

内側にある熱は、まるで身体の外に出たがっているかのように暴れ出す。

叶うならば外へ出してやりたいのだが、生憎《あいにく》と僕にはそんなやり方はわからない。

僕にできるのはいつものように無理矢理《むりやり》抑《おさ》えることだけ。

体内にある熱に意識を向けて、外側から内側へと力を加えるように圧縮していく。

こうやって力ずくで押さえつければ、暴れ出していた熱は弱くなっていく。

そうすれば、自然と症状も収まって体調も元に戻る。

子供の頃から続けていたルーティンだ。

「とはいえ、最近多いな……」

ここまで熱が強く暴れるのは、月に一度くらいの頻度だったのだが、ここ最近は三日に一度くらいのペースで起きている。

ここ最近は繁忙期《はんぼうき》とあってか業務量も多く、残業をこなすことも多かった。

もちろん、虚弱な体質なのでほかの人よりも残業は少ないが、虚弱な体質である僕にとっては大きな負担なのだろう。

自分で押さえつけることができるとはいえ、三日に一度のこの頻度はやばい。

この繁忙期が終わったら有給を取得することにしよう。

火照《ほて》った身体を冷ますためにペットボトルへと手を伸ばすが中身は空だった。

仕方なく席を立ち上がると、僕は下のフロアの廊下にある自動販売機へと向かう。

その道すがらの階段で内側にある熱が再稼働《さいかどう》。

「――ッ⁉　身体が熱い！」

体温が急激《きゅうげき》に上昇し、激しい頭痛に見舞われ、全身の骨が痛かった。

症状としてはインフルエンザに近いかもしれないが、それとは比較にならないほどに強い。

どうして急に？

いつもは熱を押さえつければ、収まっていたというのに。

身体中の血管が沸騰《ふっとう》しているんじゃないかって錯覚《さっかく》してしまうほどに身体が熱い。

落ち着け、もう一度熱を押さえつけるんだ。

僕は熱に意識を向けると、周囲から力を加えていく。

しかし、今度は熱が小さくなることはなかった。

まるでガソリンに火をつけて、燃え上がった炎のように手がつけられない。

内側にあった熱はドンドンと熱量を増していき、全身へと広がっていく。

こんなことは初めてだ。

熱の症状で平行感覚すらなくなってしまい、身体がぐらりと傾いていた。

あっ、やばい。

ここは階段だった。それでも身体を動かすことができないために認識することしかできなかった。

ゴロゴロと階段を転げ落ちる。

身体のあちこちに衝撃が加わったが、それよりも全身に広がる熱による痛みが上回っていてまったく感じなかった。

ああ、これダメなやつだ。

こんな呆気《あっけ》ない終わりを迎えるのであれば、もっと人生を満喫しておけば良かった。

積極的に友人と会話し、一緒に遊んだり、遠出してみたり、旅行してみたり。

悔いのない人生を送りたかった。

身体がしんどくないってどんな感覚なのだろう？

もし、次も人間に生まれ変わることができたなら、健康な身体で人生を過ごしてみたいや。

●

途方もないほどに広い空間の中で僕は一人ポツンと立っていた。

もしかして、ここは天国なのだろうか？

天国というと楽園のようなイメージがあったが、実際はここまで無なのか。

「ここは天国ではありませんよ」

などと感想を抱いていると後ろから声をかけられた。

振り返ると、そこには金髪碧眼《へきがん》の白いドレスを纏《まと》った女性が立っていた。

ただ立っているだけなのに全身にうっすらと黄金色のオーラが漂っており、その美しさはまるで……。

「……女神様」

「そうです！　ちなみにこれは夢なんかじゃありませんよ？」

僕の感想を先回りするかのように言う女神。

「だとしたら、僕はどうしてここに？」

これが夢じゃないとすれば、僕が女神様とこうして話し合う意味がわからない。

「残念ですが、樹《いつき》さんは亡くなってしまいました」

「ええ、そうですね」

さっきオフィスで感じた熱の暴走。これまでにない強さの熱に命の危機を感じていた僕は、自分が死んでしまったのを自覚していた。

「えっと、あまり驚かないのですね？」

「生まれた時から虚弱だったもので。あまり長くは生きられないだろうと覚悟していました」

「そうでしたか。通常ならば、樹さんの魂《たましい》は浄化され、また新しい命へと宿ることになるのですが、樹さんの場合は事情があって神界に呼ばせてもらいました」

「事情とは？」

「樹さんの体内に宿している魔力のことです」

「魔力？」

魔力っていうと、ゲームやアニメなどの創作物で登場する不思議なエネルギーのことだろうか？

「その認識で合っています」

「ええ？　でも、僕のいた世界は魔力なんて存在しないのですが……」

「小さい頃から身体の内側に熱を感じることはありませんでしたか？　あるいはそれに

伴う頭痛や倦怠感、痛みなどを」

「あります！　物心ついたころから身体に熱がずっとあって……」

「それが魔力です」

きっぱりと女神から告げられる。

生まれてからずっと感じていた熱の正体が、まさか魔力というファンタジックなエネルギーだったなんて衝撃を隠せない。

「樹さんの世界では魔力は存在せず、生まれてくる人間の肉体に魔力器官が備わることもありません。そのせいで樹さんは魔力を放出することもできず、溜め込むことになり身体に支障をきたしていました」

「つまり、僕の不調の原因は魔力であると？」

「……はい」

こくりと頷《うなず》く女神。

いくつもの大きな病院を回ったが、体調不良の原因がわからないのも納得だ。

そもそも地球では魔力なんてものが認知されていないし、誰も知覚できないのだから。

「何かやばい病気でも患《わずら》っているのかと思いましたが違うんですね。原因がわかってスッキリしましたけど、やるせないですね」

本来、宿すものではないものを宿していたせいでまともに人生を送ることができなかった。

原因がわかってすっきりはしたが、それで自分の人生がボロボロだったことに納得はできなかった。なんという理不尽。

「樹さんが魔力を宿してしまったことについては私たちの落ち度です」

本来はこういったことがないように正しく魂を浄化し、世界に振り分けるのが女神たちの仕事であるらしい。つまり、僕が魔力を宿したことについては神様側のミスのようだ。

神様を代表して目の前の女神が頭を下げる。

僕は慌てて頭を上げてもらうように言う。

女神に頭を下げさせるなんて逆に申し訳なさしかない。

「樹さん、ここで本題なのですが新しい世界で人生をやり直してみませんか？」

「新しい世界ですか？」

「はい。残念ながら神の規約により同じ世界に転生させることはできないのですが、私の世界であれば可能で便宜《べんぎ》も図れます！」

女神から詳しく話を聞いてみると、どうやら剣と魔法の世界に転移させてくれるらしい。

「便宜とはどのような？」

「人の器に収まるものでしたらどんな願いでも！」

「では、健康な身体をお願いします！」

「わかりました。異世界では大病などを患《わずら》うことなく、健康的な生活が送れるように強い肉体にします」

「ありがとうございます」

「まだ器は余っていますが、他に望むことはありますか？　瞬間移動を会得《えとく》したり、大地を焼き払うような大魔法を会得したり、剣術の才能なんかも与えることができますよ？」

女神の世界は地球ほど治安がいいわけでもない上に、人々を襲うような魔物といった危険生物などが跋扈《ばっこ》しているらしい。それを考えると、多少の自衛能力があった方がいいのかもしれない。

だけど、僕が本当に望んでいるのは真っ当な人生だ。

色々な人と話したり、美味しい料理を食べたり。世界を巡って名所を眺めたり、その土地の文化に触れてみたり。そんな生前にできなかった普通のことを思う存分にやりたい。

そう考えると、女神の提案してくれた英雄の力は不要だった。

むしろ、その世界で求める自由度を考えると、そういったチートな能力は不要なのかもしれない。

でも、いきなり異世界に転移させられて、一人というのも寂しいな。

昔、家で飼っていたポチのように可愛いもふもふのお供とかほしい。

僕は大の動物好きだ。

特に犬や猫のようなもふもふとした毛を持つ動物は大好きで、将来は広い家を買って大きな犬を飼いたいと考えていた。

死んでしまった今では霧散《むさん》したといえるが、新しい人生では叶えてみたい。

「わかりました。では、樹さんの要望に沿った従魔《じゅうま》を与えましょう」

そんな要望を述べると、女神の両手の上に黄金色の光が集まった。

まばゆい光を放ったかと思うと、彼女の両手には大きな卵が収まっていた。

「どうぞ。この子であれば、樹さんの新しい人生の良き相棒になってくれるはずです」

「ありがとうございます。ところで、この卵の中は――あれ？」

女神から受け取った卵の中について尋ねようとすると、僕の身体が薄っすらと透けていくのを感じた。

「申し訳ありません。これ以上の滞在《たいざい》は魂に大きな影響を与えてしまいますので、急いで樹さんを異世界にお送りいたしますね！　細かい説明はお手紙に入れておきますので！」

え！　もうちょっと異世界についてアフターサポートとか聞きたかったのだけど、時間をかけて悩んでいたのは僕だし、これ以上留まっていると消滅《しょうめつ》するらしいので仕方がない。

女神様が指揮者のように滑らかに腕を振るうと、僕の足元に巨大な魔方陣が浮かび上がった。

「女神様、ありがとうございます」

「樹さんの次の人生が幸福であることを願います」

女神様の綺麗な微笑《ほほえ》みを最後に僕の視界はホワイトアウトした。

●

眩《まぶ》しい光に瞼《まぶた》がピクリと震《ふる》え、僕は目を覚ました。

「ん、んん、ここは……？」

むくりと上体を起こして、ぐるりと周囲を見渡しても木ばかり。

鬱蒼《うっそう》とした生い茂《しげ》る木々の枝葉は見たことのない形をしており、その根元にはこれまた見たことのない青い実をつけた植物があることから、ここは異世界の森のようだ。

旅行などの経験が疎《うと》い僕でも、これが日本に植生しているようなものではないとわかる。

そう思えるほどに周囲に生えている植物の姿は異様だった。

身体を確認してみると、僕の身体は少し小さくなっているようだ。

体感として高校生くらいの身長だろうか？　健康的な肉体に作り替えてくれると女神が言っていたのでその影響なのかもしれない。

身に纏《まと》っている服装は茶色を基調としたシャツに黄色のジャケットと、黒色のズボンだ。

前世の衣服に比べると、少し生地がごわごわとしている。

これがこの世界の平均的な衣服の品質なのだろうか？

まあ、裸《はだか》で異世界に放り出されるよりは百倍ましなので衣服があるだけで感謝だ。

「にしても、この卵の中はなんなんだろう？」

女神が与えてくれた従魔の卵。肝心の中身を尋《たず》ねようとしたところでタイムリミットがきてしまいわからずじまい。

「うーん、今は考えても仕方がないか」

考えても従魔とやらの正体がわかるわけでもない。

今はそれよりも確認したいことがある。

僕は卵を小脇に抱えると、そのまま道を走ってみる。

「うわ！　この身体すごいスピードが出る！」

軽く走ってみただけなのに身体がグングンと前へ進んでいく。

全力疾走《しっそう》をすれば人間ってこんなに速く走れるものだっただろうか？

なんて疑問が脳をよぎったが全力で疾走できるという爽快感が最高ですぐにどうでも良くなった。

そのまましばらく周囲を走り回った末に停止。

走り終わった後に派手な息切れや動悸《どうき》が起こるようなこともない。

「すごい！　身体が怠《だる》くない！　すぐに疲れることがない！　健康な身体ってこんなに幸せなんだ！」

身体に熱は感じるが、以前のような熱さや違和感を抱くことはなかった。むしろ、今の身体にはなじんでいるのか心地よい気分だった。

どうやら女神の力によって、僕は本当に健康な肉体へと生まれ変わることができたようだ。

切実に健康な肉体が欲しいと願っていた僕からすれば、心の底から嬉しい。

生まれる世界を間違えたが故に、前世では理不尽な生活を送らされることが多かったが、これなら僕でも人並みに幸せな人生を満喫《まんきつ》することができそうだ。

「ところで、このバッグはなんだろ？」

自身の健康な肉体に満足したところで腰に装着しているバッグを確認する。

現状で卵以外の唯一の持ち物といえるものだ。

女神から細かい説明は手紙に書いておくと言っていたのでここに入っているのかもしれない。

確認してみると中は真っ黒で底が見えない。

しかし、不思議と内部に手紙が収納されているのが感覚でわかり、手繰り寄せるようにするとそれが出てきた。

綺麗な便箋《びんせん》を開けると、女神からの手紙であることがわかった。

ひとまず、手紙を読み込んでみると、このバッグはマジックバッグという代物《しろもの》であり、見た目以上に物を収納することができるようだ。

ただし、生き物などを収納することができず、使用者である俺にしか操作はできないらしい。

手紙の他には二週間分の水や食料などが入っているようだ。

確かめてみると、硬パンやドライフルーツ、ジャーキー、チーズなどの保存食が中心として入っている。残念ながらこの世界の一般的な保存食であり、前世のようなカロリーバーやインスタント食品などは一切入っていないようだ。

他には布、縄《なわ》、木材、ナイフ、フライパン、鍋といった最低限のサバイバル用品が入っており、この世界独自の魔法について記された書物が入っている。

この世界の魔法についてはこれで学べということらしい。

そして、肝心の従魔の卵であるが……女神からはお楽しみということで何も記述されてなかった。

完全に遊ばれている気がする。

まあ、女神の言う通り、卵が孵《かえ》った時のお楽しみとしておこう。

犬のような生き物なのか、それとも猫なのか、兎なのか……できればかわいいもふもふの生き物が生まれてほしいな。

卵については僕が魔力を注ぐことで孵化《ふか》するらしい。

魔力なんてものを注げと言われても僕にはわからないのだが前世から熱（魔力）を知覚し、独学で二十年以上抑えつけていた僕には、それくらいのことは造作《ぞうさ》もないらしい。

試しに熱を動かすような操作してみると、するりと熱が動いた。

いや、今となっては魔力というべきか。

そのまま腕を通して卵に注いでみると、模様の浮かんでいた白い卵が薄《う》っすらと光を纏い始めた。

すぐに生まれる兆《きざ》しは感じないが、もう少し時間が経過《けいか》すれば生まれるような気配はしていた。

このまま森の中を動き回るのも怖かったので、僕は魔法教本を読み込んで時間をつぶすことにした。

この世界において僕の武器は魔力だ。

つまり、自衛手段は魔法に頼ることになるため、しっかりと魔法について学んでおかないと。

魔法教本を読み込んでいくと、この世界の魔法には火、水、土、風、無、光、闇の七属性が基本らしい。

それらの属性魔法を操るにはエネルギーの元となる魔力の適切な操作とイメージが大

切なようだ。

もっとも難しいのが魔力の知覚と操作なのだが、僕はすでに魔力の知覚が済んでいる上に、魔力の操作もある程度はできるので、あとはイメージをすれば魔法が発動できるようだ。

なんだろう。こういった設定を読んでいるとゲームをしているような気分になる。

前世では身体が弱かった分、こういったゲームに興《きょう》じることも多かった。そのお陰でこういったファンタジーな設定を戸惑うことなく受け入れられることができるのだから何事も無駄にならないものだ。

にしても、本当に僕なんかが魔法を発動できるのだろうか?

最初のページには火球の魔法が載っているが、ここは森の中で火事になると怖いので、水球という魔法を使用してみることにする。

「水球【ウォーターボール】」

体内にある魔力を活性化させ、それをエネルギー源として水球へ変換するイメージでやってみると、手の平の上で大きな水球が出来上がった。

「うわっ! すごい! 本当に水球が出てきた!」

自らの魔力をエネルギーにしているとはいえ、何もない空間から突如として水球が出来上がる光景は不思議だった。

夢中になって水球を眺めていると、僕の魔力を吸い上げてグングンと大きくなる。

このまま放置しているとドンドン大きくなりそうだったので、そのまま水球を放ってしまう。

すると、僕が飛ばした水球は木々をベキベキとへし折り、十メートルほど進んだところで破裂した。

「水球って……こんなに威力のある魔法だったんだ」

水も質量を伴《ともな》えば、それなりの硬度《こうど》を誇《ほこ》ることは知っていたが、これほどの威力《いりょく》を発《はっ》揮《き》するとは思わなかった。

これがこの世界での平均的な魔法の威力なのか、初級レベルなのかわからないが、地球よりも危険なこの異世界で生き抜くためには自衛ができるに越したことない。

僕は水球以外の魔法にもチャレンジし、貪欲《どんよく》にこの世界の魔法を学ぶことにした。

●

魔法教本を読み漁っていると、卵からカツカツという音がした。

孵化が始まったのかと思って視線を向けるが、孵化する様子はない。

しかし、卵を包んでいた光が弱くなっている気がする。

そのまま観察していると何かを訴えるように再度卵の内側からカツカツという音が響いた。

「もしかして、また魔力が欲しいのかな？」

そんな気がして再び魔力を注いでみると、再び卵は強い光に包まれた。

僕のそんな予測は合っていたらしく、内側の主はそれ以上の音を立てることはなかった。

どうやら満足したらしい。

卵を持ち上げてみると、さっきよりも重くなっている気がする。

それにじんわりと温かく、かすかに鼓動《こどう》のようなものを感じた。

確実に孵化が近づいている。

だけど、まだ生まれる様子はない。

もう少し待ってあげたいところだが、ここで魔法の勉強をしているのも飽きてきた。

人里が近くにある保証もないし、最低限の身を休める場所くらいは確保しておきたい。

なんて色々とやるべきことはあるが、せっかく元気な身体を手に入れたので自由に動き回りたくて仕方がなかった。

自衛ができるくらいの魔法は習得したし、少しだけ森の中を動き回ることにしよう。

卵を抱えると、僕は遂に転移した地点から移動することにした。

とりあえず、水辺に沿って移動していけば、いずれは人里に出られると思うので水辺を探すのを目標にしてみる。

ありがたいことにマジックバッグの中には二週間分の食料と水があるので、そこまで急ぐ必要はない。

鬱蒼と生い茂る枝葉や茂《しげ》みをかき分けながら進んでいくと、最初に転移した地点にあったものと同じ青い実を見つけた。

口にしてみたいところだけど食べられるか、毒があるかもわからない。

冒険心がむくむくと湧いてくるが、食料がある中で食べられるかも不明なものを口にする気が起きない。

とりあえず、マジックバッグに収納するだけしておこう。

後で食べられるとわかれば食べればいい。


『オレの実』

ガラール森林の広域に自生している食用の木の実。

食べるとほのかな甘みと酸味がある。中にある種は硬くて食べられない。

葉っぱには臭みを取り除く作用がある。


そう思ってマジックバッグに収納すると、視界にこんな情報が浮かび上がった。

どうやらこのバッグの中に入れると、それがどのような物か判別できるらしい。

異世界の植生についての理解がまるでないので、このサポートはとても助かる。

食べられるとわかるのであれば、そのまま取り出して口に含む。

「あっ、美味しい」

浮かび上がった情報のテキスト通りに食べると甘みがあり、ほのかな酸味が後から広がった。サクランボのような味に近く、程よい甘さなのでパクパクと食べられる。

保存食だけというのも心許ないし、これだけ美味しいのならもっと採取しておこう。

そうやって前に進みながらオレの実を夢中で採取していると、不意に目の前からフゴフゴとした荒い息が聞こえた。

「あっ」

顔を上げると、自分の背丈ほどの大きさをした茶色い体毛に包まれた猪《いのしし》がいる。

頭には大きなコブがあり、口元からは大きく湾曲《わんきょく》した鋭い牙が生えていた。

傍《かたわ》らにはその子供と思われる小さな猪も二体。

明らかに獰猛《どうもう》な動物、あるいは魔物に分類される見た目であった。

「えーっと、こんにちは？」

なんて和やかに声をかけてみるも猪たちは応じるはずもない。

彼らは一層と荒い鼻息を立てながら身を低くし、こちらに一斉に突っ込んできた。

卵を抱えながら急いでその場から離れると、猪たちは僕のいた場所を通り過ぎる。

しかし、すぐにターンしてくると、再び揃《そろ》った動きで突進してきた。

このまま回避していてもジリ貧だ。

「水球！」

僕は会得したばかりの水魔法を発動。

大きな水球を作り上げると、真正面から突進してきた猪たちへと飛ばす。

水球は見事に直撃すると、派手な水飛沫《みずしぶき》を上げて二体の小さな猪がひっくり返った。

しかし、大きな猪の突進を完全に止めることは叶わなかったようだ。

水の中を突っ切って湾曲した牙が迫ってくる。それは聞いてない。

僕は身をよじって何とか回避。

「ぐっ！」

しかし、猪の身体の端っこがわずかに掠ってしまう。それだけで自動車にでもぶつかられたように大きく転がってしまう。

全身に襲いかかる衝撃を感じ慌てて顔を上げると、すでに猪が次の突進へと入っていた。

生き物だからといってビビッて水魔法なんて選択するんじゃなかった。

急いで殺傷性《さっしょうせい》の高い火魔法を練り上げようとするが痛みが魔力操作を阻害し、完成するのに時間がかかる。

もしかすると間に合わないかもしれない。

そんな言葉が脳裏をよぎって冷や汗をかいていると、不意に抱えていた手元の卵がピキピキと音を立てる。

まさか、ここで生まれるのか？

視線を胸元に向けると卵の亀裂は大きくなる。

そして、軽快な破裂音《はれつおん》を立てると、そこから真っ白な子狼《こおおかみ》が飛び出した。

「ワフン！」

子狼は僕の顔を見るなり、構ってとばかりにすり寄ってくる。

かわいい。

「あー、もふもふだ！　ふわふわとした体毛はとても手触りが良く、ずっと触っていたいほどにさらさら――って今はそんな場合じゃないよ！　魔物がいるんだ！」

突如現れた子狼に猪は一瞬だけたじろいだものの、僕ごと轢《ひ》き潰《つぶ》そうと突進の準備をしている。

現状を必死に伝えると、子狼は胡乱《うろん》げな様子で振り返ると姿が掻き消えた。

次の瞬間、突進してこようとした猪が倒れており、傍《そば》にはいなくなったと思っていた子狼がいた。

「え？」

おずおずと倒れ伏している猪を見ると、首元がさっくりと切り裂《さ》かれていておびただしい量の血液を流していた。

子狼の右腕に生えている爪《つめ》が赤く染まっている。

どうやら一瞬で猪に近づき、急所をかき切ったようだ。

「ワフン！」

子狼がこちらを褒めろばかりに寄ってくる。

「すごいじゃないか！　あんな大きな魔物を倒すなんて！」

抱え上げると、子狼は嬉しそうに舌を出しながらぺろぺろと頬《ほお》を舐《な》めてくる。

まるで親に成果を褒められた子供のような無邪気さだ。

僕の言葉を完全に理解してはいないが、おおよそを理解できる程度に知能があるみたい。

女神が生み出し、僕の魔力を注がれて生まれたからか、完全に僕に対する信頼が寄せられている。こんな風に持ち上げてもまったく怒る様子もなく、純粋な瞳をこちらに向けていた。

生まれてすぐにこんな大きな魔物を倒せるなんて、ただの狼じゃないよな？

「一体、何の魔物なんだろう？」

なんてぼやいてみせるが、子狼は僕の動きを真似するように首を傾げるだけだった。

子狼の体を確認してみるが、何もわからない。

マジックバッグに入れてしまえば判明しそうなものだが、さすがに入れるわけにもいかないし、そもそも生き物は収納することができないからね。

まあ、どんな魔物でもいいか。こんなにもかわいい生き物が僕を助けてくれたんだ。

どんな種類の生き物であっても僕の相棒であることに変わりはない。

「とりあえず、名前がないと不便だし、名前をつけよう」

なんて言ってみると、子狼は嬉しそうに尻尾を振った。

この子狼の特徴は、なんといっても雪のように真っ白な体毛だ。

「シロウなんてどうかな？」

「ワフン！」

見た目からとった安直気味な名前ではあるが、本人はとても気に入ってくれたらしく嬉しそうな鳴き声を上げてくれた。

やっぱり名前は呼びやすく、イメージと繋がるものがいいからね。

シロウがもっと大きくなって気に食わないなんて訴えられたら、その時はまた一緒になって考えればいいか。

にしても、シロウがいなかったら危なかった。

魔法を会得したとはいえ、人を襲ってくる生き物と戦うのは初めての経験だったので気構えが足りていなかったな。

ここは日本と違う、危険が身近に潜んでいる異世界だ。

新しい人生を満喫するために自身の命を——いや、僕とシロウの命を脅かす存在には容赦しないようにしよう。

健康な肉体を手に入れての異世界生活をすぐに終わらせるようなことはしたくないからね。

「これからよろしくな、シロウ」

「ワフン！」

まっすぐと見つめながら言うと、シロウは元気な声を上げた。

2話　もふもふとブルホーンのステーキ

水球で気絶させた小猪にとどめを刺すと、僕は大猪と子猪をマジックバッグに収納した。

マジックバッグの鑑定機能によると、どうやらこの猪はブルホーンという魔物らしい。とても獰猛な魔物だが分厚い毛皮は衣服や敷物として重宝《ちょうほう》されており、肉は美味しく食べられるようだ。猪肉か……美味しそうだ。

「お腹が空いたな」

「ワフウ」

なんて呟くと、シロウも同意するように声を上げた。

「マジックバッグには保存食が入っているけど、どうせなら今倒したばかりのブルホーン肉を食べたいね」

「ワッフワッフ！」

どうやらシロウも気持ちは同じらしい。

やっぱり、狼だからかお肉が大好きなようだ。

「そうと決まれば、落ち着いて調理できる場所が欲しいな」

これだけの大物を解体するとなると下処理にも時間がかかる。

日が完全に落ちてしまう前に拠点となる場所を確保した方がいいだろう。

そんなわけで僕とシロウはこの場を後にして前に進んでいくことにする。

「ワフン！」

小一時間ほど歩いて進むと、シロウが声を上げた。

茂みをかき分けて寄ってみると、小さな洞窟《どうくつ》があった。

体毛や糞《ふん》などが落ちていないことから直近は生物が生活拠点として使っていたわけでないようだ。

「ここならゆっくりできそうだ。良く見つけてくれたね」

頭を撫《な》でるとシロウは気持ちよさそうに目を細め、尻尾をフリフリと横に振った。

僕はシロウを撫でることができて嬉しい。シロウは僕に撫でられて嬉しい。

需要と供給がマッチしている。最高だな。

洞窟の中は意外と広く、奥の方まで伸びていた。

入口は木々と茂みに遮《さえぎ》られているお陰で外敵が近寄ってきたとしても、発見される可能性は限りなく低い。

ここならゆったりと夜を明かすことができそうだ。

「さて、ブルホーンを解体しようか」

小休止をした僕はシロウと共に洞窟の外に出る。

洞窟の中で解体をすると匂いが充満《じゅうまん》しそうだからね。

マジックバッグを下に向けてブルホーンを取り出したいと念じる。

すると、巨大なブルホーンがバッグから出てきた。

レピテーションという無属性魔法でブルホーンを持ち上げると、ロープを使って近くにある大きな木へと吊り下げた。

すると、ブルホーンの首から血液が流れ出る。

シロウの鮮やかな一撃のお陰でこれだけで十分に血抜きができるのだが、なにぶんブルホーンの体が大きいので時間がかかるな。

血液も一応は液体だし、水魔法を使えば一気に抜くことができないだろうか？

血管から血液を引き抜くイメージでやってみると見事に成功。綺麗に血液だけを引き抜くことができた。

血液は保管する趣味も利用方法もなさそうなので、こちらは土魔法で地面を掘って埋めておくことにした。

こうしておけば血の匂いに誘われて、他の魔物が寄ってくることはないだろう。

血抜きが終わると、次は洗浄だ。

猪の毛皮にはたくさんの汚れがついているので水球で全身を洗ってしまう。

とはいえ、水洗いだけでは怖いので光魔法のクリーンを発動し、細菌などを死滅《しめつ》させた。

これで不衛生ということはないだろう。

次はいよいよ解体だ。

前世では外に出かけて美味しい料理を食べることができなかった分、自宅で試行錯誤して美味しい料理を作ることに励んでいた。

本職には劣るが、それなりに調理の腕には自信がある。

異世界の魔物だろうとやるべきことは調理だ。

基本的な生き物としての構造から離れていない限り、やるべき下処理に変わりはない。

「まずはお腹を開いて、中にある内臓《ないぞう》の除去だな」

とはいえ、さすがの僕も猪をまるまる解体なんてしたことはないし、正しいやり方を熟知しているわけではない。

失敗しても別に僕やシロウが死ぬわけじゃないんだ。

ひとつひとつの出来事を楽しむつもりで前向きにやろう。

ブルホーンを仰向けに転がすと、ふっくらとしたお腹にナイフを差し込んでいく。

お腹を開いて中にある内臓を傷つけないように丁寧に剝《は》ぎ取っていく。

「うん？　なんだこの水晶《すいしょう》は？」

内臓を取っていくと、ブルホーンのお腹の中に拳《こぶし》ほどのサイズをした水晶があった。

綺麗な紫色をしており、魔力を内包しているように見える。

『魔石』

魔物がため込んだ魔力の結晶。

魔力を宿しており、武具や魔道具などに加工することができる。

しかるべきところに売り払うと質に応じた報酬《ほうしゅう》が貰える。


マジックバッグに収納してみると、魔石だということが判明した。

どうやらこの世界では様々な使い道があるものらしい。

詳しいことは人に聞けばわかるだろう。

とりあえず、貨幣の代わりにもなるとのことなのでありがたくバッグに収納しておこう。

内臓の除去が終わると、氷魔法でブルホーンを冷却。

死後硬直《しごこうちょく》が終わると、ブルホーンの頭や尻尾、足先などを切断し、皮を剝いでいく。

この作業がまた力業で苦戦したけど、なんとかそれが終わってブルホーンの肉をブロック状に解体することができた。

「ふう……思った以上に時間がかかって疲れたな」

気がつけば、日が大きく傾《かたむ》いていた。

ブルホーンまるまるということもあり、思っていた以上に時間がかかってしまった。

先に拠点を見つけておいて良かった。

最初はブルホーンの解体作業を興味深そうに見つめていたシロウだが、途中で飽きてしまったのか今では傍で眠っている。

真っ白なシロウが体を丸めている姿は、まるで鏡餅のようだ。

そんな姿もかわいらしい。

お餅と化したシロウの頭や背中を軽く撫でると、僕は火種になりそうな枝を探す。

するとシロウもむくりと身を起こして付いてきた。

僕が近くから離れたせいで不安に思ったのかもしれない。

「ちょっと枝を拾ってくるだけだからもう少し寝ていてもいいよ？」

などと声をかけるがシロウは僕の後ろを付いてくる。

昼寝はもう十分のようで僕と一緒にいたいらしい。かわいいやつめ。

僕が枝を拾い集めると、シロウも真似をして次々と枝を咥《くわ》える。

僕が何をしているか理解し、どうすれば助けることができるか考えられるようだ。

うちのシロウは本当に賢い。

シロウが手伝ってくれたお陰で枝は数分としないうちに抱えられるほどの量になった。

これだけあれば調理して、一夜を過ごすのに十分だろう。

枝を持って洞窟に戻ると風避けとして石を積み上げて、火種となる枝を積み上げる。

よし、あとは魔法で枝に火をつければいい。

魔法を発動しようとすると、シロウが枝に顔を寄せて口から火を吐《は》いた。

僕が呆然《ぼうぜん》とする中、シロウはボーボーと火を吐き続けて、積み上げた枝に火種をつけてくれた。

「え？　シロウ、火を吐けるの？」

尋ねると、シロウは自慢するように胸を反らした。

この世界の狼は火を吐くのが一般的なのだろうか。それとも女神が生み出したシロウが特別なのか。なんとなく後者のような気がするな。

シロウの能力に驚きつつも僕はマジックバッグからフライパンをはじめとする調理に必要なものを取り出す。

今回作るのはブルホーンのステーキだ。

やっぱり、シンプルに味わうならステーキが一番だ。

一度、こうやって大自然の中で分厚いお肉を焼いてみたかったんだ。

今回の部位はロースを使う。

ロースの特徴は肉質が柔らかく、脂のバランスが程よい。

大きな血管が走っていないために血が残りにくく、臭みがほとんど感じないという外れのない部位だ。

まな板の上にロースの塊《かたまり》をセットすると、ナイフで厚切りにカットしていく。

脂と赤身のバランスがとても綺麗だ。焼いたら絶対に美味しいに違いない。

「ワッフ！」

シロウがそのままでちょうだいとばかりに声を上げる。

そうか。狼だから別に生でもいいのか。

そう思って生のままのロース肉を差し出すと、シロウはもぐもぐと食べ始めた。

美味しいんだろうか？　僕はただの人間なので生肉は食べられない。

予定通りにステーキを味わうだけだ。

フライパンを火にかけると、そこにほんの少しの油を垂らし、カットしたブルホーンの脂身だけを焼く。

油は女神から貰った支給品の中にあるけど、節約できる分には節約するに越したことはないからね。

脂身から油分を抽出《ちゅうしゅつ》している間に、厚切りしたロースの両面に塩、胡椒《こしょう》をまぶす。

こちらも支給品。量には限りがあるがケチって味が落ちては本末転倒《ほんまつてんとう》なので、こちらはケチることはなくしっかりとまぶす。

味付けが終わる頃にはフライパンにしっかりと油が抽出されていた。

そこに厚切りのステーキを二枚投入。

ジュワアアアッと油の弾ける音と肉の表面が焼ける音が響《ひび》く。

「いい音だ」

静かな洞窟の中でお肉の焼ける音が響き渡る。

フライパンの中で肉汁が広がり、ロースの脂身の匂いと香ばしい匂いが漂う。

これ絶対に美味しいやつだ。

裏面を焼きながら思っているとシロウが傍にやってきた。

「くうん」

くんかくんかと匂いを嗅ぐと、切ない声を上げて振り返る。

どうやらこっちの方が食べたいらしい。

「大丈夫。シロウの分も焼いてあるから」

苦笑しながら言うと、シロウは嬉しそうにこちらにやってきて座っている僕の足の中にすっぽりと収まった。かわいい。

裏面までしっかりと焼くと、焼き上がったステーキをお皿に盛りつけた。

「ブルホーンのロースステーキの完成！」

アルミホイルがあれば、包んだ状態で休ませて余熱《よねつ》を通したりなどができるんだけどないものはしょうがない。今の状態でできる最善《さいぜん》は尽くしたつもりだ。

「いただきます！」

「ワフン！」

シロウにも盛り付けたお皿を用意すると、僕はブルホーンのステーキを食べることにした。

ナイフを差し込むと、分厚い見た目の割にあっさりと刃が通った。

むっちりとした弾力があるけど、不思議と刃を阻むことはない。

中まで程良く火が通ったロース肉をフォークで刺して口に頬張《ほおば》る。

「うん！　美味しい！」

臭みはまったく感じない。肉質はとても柔らかく、あっさりと噛《か》み千切《ちぎ》ることができる。

肉本体の味は荒々しいが、肉特有の力強い旨みと食べ応《ごた》えは豚肉よりもこちらの方が何倍も上だろう。なんといっても素晴らしいのは濃い甘みと、ねっとりした脂の旨みだ。この独特の脂身の甘みは猪肉ならではと言えるだろう。豚肉では決して味わうことができない。

シロウも夢中になってステーキを食べている。

「美味しい？」

「ワフン！」

頬張る勢いから気に入っていることはわかっていたが、しっかりと聞くことができて安心した。

気が付くと僕もシロウもあっという間にステーキを平らげていた。

それでもまだ満ち足りていない。

「もう一枚食べる？」

「ワフン！」

「次は生にする？　それとも焼いたやつがいい？」

念のために尋ねると、シロウはすぐにステーキの入っていた皿を右腕でポンポンと叩いた。

「わかった。ステーキだね」

どうやら生で食べるよりも、僕が調理したステーキを気に入ってくれたようだ。

シロウの分も作った甲斐《かい》があるというものだ。

僕は二枚のステーキを食べ、シロウは三枚目のステーキを食べたところでお腹が膨《ふく》れたようだ。

食べ終わる頃には日がすっかりと落ちていた。

ブルホーンの毛皮を敷《し》いてゴロンと横になると、シロウもこちらに近寄って横になる。

シロウの耳を触ったり、背中を撫でたりと自由にもふもふを堪能《たんのう》する。

食後のもふもふは最高だ。

特に何をするでもなくシロウとの時間を楽しむ。

前世では生きるだけでお金がかかり、何かと忙しかったのでこういったなんでもない余裕に満ちた時間が幸せだな。

そんな一人と一匹の時間を堪能していると、急に眠気がやってきた。

異世界にやってきて初めて魔法を使ってみたり、ブルホーンに襲われて戦ったり、ブルホーンをまるまる解体して料理を作ったり。とにかく、今日はたくさんのことがあったので疲れたな。シロウもそれは同じらしくうとうとと舟を漕《こ》いでいた。

頭を優しく撫でてやると、シロウは心地よさも相まってゆっくりと瞳を閉じた。

規則正しい寝息を漏らすシロウを確認すると、僕は水魔法で焚火を消した。

洞窟が真っ暗になると僕も瞳を閉じる。

こうやってシロウと一緒に森を探索し、狩りをするのも楽しいけど、食料や水もずっとあるわけじゃない。

食料や調理器具、調味料と足りないものはたくさんあるし、この世界についてももっと知っておきたい。

早めに人里に降りて、この世界について学んで、必要なものを買いそろえておきたいな。

あとは住処だ。

シロウは魔物だけど、僕の従魔でもある。

この世界における従魔がどのような立ち位置なのかは不明だが、シロウと一緒に快適に住める場所を見つけられるといいな。

●

なんだか胸の辺りが苦しい。

胸への圧迫感で目を覚ますと、視界にはシロウの顔がアップで映っていた。

「なんだシロウか……」

どうやら先に目を覚ましたシロウが僕の胸の上に乗っていたようだ。

道理で胸に圧迫感《あっぱくかん》があるわけだ。

生前が病弱だったので、また身体に不調でも起きたのかと思っちゃったよ。

とにかく、今日も変わらない健康体で良かった。

ぺろぺろと僕の鼻先を舐めるシロウ。

起き上がるには退《ど》いてもらわないといけないので、両腕ですっと持ち上げてやる。

「……シロウ、大きくなってない？」

なんだかシロウの体が一回りほど大きくなっている気がする。

持ち上げた時の重量感も昨日より増していた。

「ワフ？」

ただ本人にはまったく自覚がないのか「そう？」とばかりに首を傾《かし》げていた。

狼は成長するのが早いのだろうか？　詳しい生態がわからないのでなんとも言えないが、そう思うことにした。

小さい手足を使って走り回るシロウもかわいいが、大きくなったシロウも悪くない。

いずれシロウが大きくなったら背中に乗せてもらったり、枕のように顔を埋めるのが僕の野望だったりする。野望を叶えるためにも大きくなってもらうのは大歓迎だな。

小一時間ほどシロウとじゃれあうと、お腹が空いてきたので朝食の準備をする。

ブルホーンの肉が大量に余っているので昨晩と同じようにステーキだ。

シロウはステーキが気に入ったらしく朝からガツガツと食べているが、僕にとっては少し重いのでステーキは一枚にして、採取したオレの実を追加した。

「さて、探索を開始しようか」

朝食を済ませると、僕とシロウは洞窟を後にする。

ずっと肉だけだと朝食がつらいな。

早く人里に降りて肉以外の食材も手に入れたいところだ。

道中で食べられそうな野草や木の実を採取しながら森の中を進んでいく。

時折《ときおり》、シロウが迂回をすることもあるが、それは余分な魔物との戦闘を避けるためだろう。

生活基盤を整えることが優先なのでシロウの配慮がありがたい。

今は一刻も早く人里に降りるのが優先だからね。

「うーん、なかなかに森を抜けることができないな」

数時間ほどシロウと共に歩いているが、一向に森の中を抜けることができない。

水辺らしきものも見つけられないし、一体この森はどれだけ広いというのだろう。

それでも僕たちに立ち止まるという選択肢《せんたくし》はない。

休息を挟《はさ》みながらも地道に森の中を進んでいくと、前を歩いていたシロウが不意に足を止めて耳をピクピクと動かす。

「ワッフ！」

何かを訴えかけるような声を上げて走り出すシロウ。

向かう先に何かがあるとわかった僕は、走ってシロウの後ろを付いていくことにした。

シロウと共に突き進んでいくと、前方から悲鳴のような声が聞こえた。

急いで駆け寄ると切り裂かれた馬車の傍に尻もちをついて涙目になっている少女と、まさに襲いかかろうとしている三体の巨大なカマキリが見えた。

少女が魔物に襲われている。

「シロウ！　魔物を倒すぞ！」

「ワフン！」

シロウは声を上げると、少女に襲いかかろうとしたカマキリへと真っ先に突っ込んだ。

横合いからの強襲《きょうしゅう》にカマキリは反応できず、シロウの爪によって首が切り裂かれた。

「ひっ！　シルバーウルフ⁉」

間一髪のところで助けられた少女だが、シロウのことを新手の魔物と勘違いしているようだった。

「シロウは僕の仲間です！　心配しないでください！」

「そ、そうですか」

僕が駆け寄って声をかけると、少女は心底ホッとしたような笑みを浮かべた。

「ここは危ないので後ろに下がっていてください」

「は、はい！」

少女に後ろに下がってもらうと、僕とシロウは残った二体のカマキリと対峙する。

一撃で仲間を倒されたからかカマキリたちはシロウを警戒しているようだ。

僕の方への警戒心なんてほとんどない。

まあ、お世辞にも強そうな見た目をしているとは言えないので、舐められるのも無理はない。

ちょっと思うところはあるものの魔法を扱う僕にとっては好都合だ。

僕は速やかに魔力を練り上げて、燃え盛《さか》る炎の槍《やり》を形成。

魔法の顕現《けんげん》にカマキリたちが慌ててこちらに視線を向けるが、もう遅い。

「火炎槍《かえんそう》」

僕が生み出した炎槍《えんそう》はカマキリたちの胴体に突き刺さり、激しく燃え上がった。

森の中で火魔法を使うのはリスキーだが、前衛にシロウがいて気を引いてくれたので外さないという自信があった。

ブルホーンの時のように手加減や配慮をして命を落としそうになったら本末転倒だからね。

前回に比べると、今回は魔法の発動もスムーズだったのではないだろうか。

なんて評価をしていると、燃え盛る炎の中から一体のカマキリが近づいてくる。

「まだ起き上がってくるのか！」

「ワフ！」

とどめの魔法を発動しようとすると、シロウの体から風の刃が射出され、カマキリの首を刈り取った。

今のは確か初級の風魔法に分類される風刃だ。

「……シロウは魔法も使えるのか？」

「ワフウ」

思わず尋ねると、シロウはまたしても誇らしげに胸を張る。

近接戦闘ができる上に魔法が扱えるとあっては、もはや僕はいらない子なのではないか？

いや、内包している魔力は僕の方が多い。

僕は完全な魔法使いとして突き抜けることにしよう。役割分担だ。

「あ、あの！　助けてくれてありがとうございます！」

そう自分に言い聞かせていると、先ほどの少女がこちらにやってきた。

ブラウンの髪をした僕と同い年くらいの少女。

瞳の色は黄色でどこか人懐っこさのような印象があった。

目鼻立ちや瞳の色が日本人離れしているな。

少女を見ると、改めてここが異世界なのだと実感できる。

「いえ、こちらこそ間に合って良かったです」

返事をすると、少女はちらちらとシロウの方に視線をやる。

「……あの、もしかしてそのフェンリルは従魔ですか？」

「ええまあ。従魔といいますか生まれた時から一緒といいますか……というか、フェンリルってなんですか？」

「フェンリルをご存知ないのですか？」

「森の中で暮らしていたもので」

実際にこの世界にやってきてからは森の中でしか暮らしていない。

だから嘘ではない。

「なるほど。でしたらご存知ないのも無理ないですね。フェンリルとは人が立ち入ることのできない秘境《ひきょう》に生息する伝説の魔物！　その速さは風のようであり、鋭い爪と牙はアダマンタイトすら切り裂くと言われています！」

少女の説明を聞く限り、フェンリルという生き物はとてもすごい魔物のようだ。

「さっきはシルバーウルフとか言っていましたけど……」

「私も実際にフェンリルを見たことがあるわけじゃないですが、こうして近くで凛々しい瞳や気高い毛並みを見ればわかります！　それに討伐ランクCのゼノンマンティスをあっという間に倒し、風魔法まで操るなんてフェンリルに間違いありません！」

シロウの近くに寄りながら力説する少女。

シロウは自分が褒められていると理解しているのか嬉しそうに尻尾を振っていた。

「シロウってば、そんなにすごい魔物だったのか」

まさか女神から受け取った卵からそんな伝説の魔物が生まれるとは。

「フェンリルを従魔にしているなんてすごいです！　お名前を伺ってもいいですか？」

「佐野樹《さのいつき》です」

「サノイツキ？」

この世界では苗字《みょうじ》はないのだろうか？　あるいは一般的ではないのか。

ひとまとめにして呼ばれてしまった。

「イツキでいいですよ。こっちの相棒はシロウ」

「ワフン！」

「イツキさん！　シロウさん！　よろしくお願いしますね！　私はこの辺りで商いをしている商人のセセリアと申します！」

ぺこりと頭を下げると、セセリアはにっこりと笑みを浮かべた。

「セセリアさんはどうして一人でこんな森に？」

近くには破損した馬車があり、商売品らしきものが散乱している。

セセリアは商人であって、明らかに戦いを生業《なりわい》にしている者ではない。

「本来はちゃんと護衛の方がいたのですがゼノンマンティスの群れにやられてしまって……」

「それはなんといったらいいか」

　どうやら護衛の人は亡くなってしまったらしい。

　道理で森の中を一人でいたわけだ。

「結果として命は助かりましたし、イツキさんという腕利きの魔法使いとフェンリルであるシロウさんと出会えましたから！」

「シロウはともかく、僕が腕利きですか？」

「さっきの魔法は業炎槍《ごうえんそう》ですよね？　お若いながら上級魔法をあんな一瞬で発動し、ゼノンマンティスを一撃で仕留めるなんてさぞかし高名な方なのでしょう」

「いいえ、さっきのは初級の火炎槍なのですが……」

　僕はこの世界にやってきてまだ一日だ。魔法教本のすべてを読み込めたわけでもなく初級魔法をいくつか使えるといった程度。中級、上級にはまだ手をつけていない。

「ええ？　あの威力でですか？」

「はい。腕は未熟ですが、魔力量だけには自信がありますから」

「……そ、それはまたすごいですね。シロウさんを従魔にしただけあります」

　こくりと頷くとセセリアが呆気にとられたような顔をする。

　一般的な火槍の威力がどんなものかわからないが、僕の放つ魔法は初級魔法とは思えない威力を誇っているようだ。

　魔力量のお陰でシロウの主であることに納得されるのは素直に嬉しいな。

「これからセセリアさんはどうされますか？」

「残った積み荷を回収してレイルズに向かおうと思います」

「レイルズというのはもしかして街ですか？」

「はい。そうですが？」

「良かったら僕たちをそこに連れて行ってくれませんか？　道中の護衛は僕とシロウがしますので！」

「いいんですか⁉　こちらとしてもそれは願ったり叶ったりなので是非《ぜひ》ともお願いしたいです！」

やった。セセリアに付いていけば、迷うことなく人里に向かうことができるぞ。

「ですが、イツキさんほどの方に護衛を頼むとなると、それなりの報酬をお支払いしないといけませんね。ですが、今は手持ちの資金が……」

破損した馬車を見て、頭が痛そうにするセセリア。

おそらくかなりの割合の商品がダメになったことだろう。

明らかに赤字が確定している状況でさらなる出費は苦しいに違いない。

「では、レイルズに向かうまでの間、僕に色々な情報を教えるというのはどうでしょう？」

「情報ですか？」

「シロウと森で暮らしていたので一般的な常識に疎《うと》いもので」

「私としては構いませんが、イッキさんはそれでいいのですか？」

「はい。今、僕が欲しているのは情報なので」

「わかりました。では、契約成立ということで」

セセリアが差し出してきた手を握ることで契約が成立した。

「積み荷ですがどうします？」

「回収したい気持ちはあるのですが、多大な時間がかかってしまうので」

「だったら僕のマジックバッグに収納しておきますよ」

「はえ？」

セセリアが間の抜けた声を上げるのを横目に、僕は破損した荷車と散乱した積み荷をマジックバッグに収納した。

ブルホーンをやすやすと収納できたので大きなものでも収納できると思っていた。

これくらいの荷車なら容易に収納できるし、まだまだ余裕はありそうだな。

「イッキさん、とんでもないマジックバッグをお持ちですね」

「そうなのですか？」

「その辺りも含めて道中で常識というものをご説明した方がよさそうですね。なにはともあれ、助かりました！　これですぐに出発できます！」

セセリアに苦笑されつつも僕とシロウは馬車に乗り込むことになった。

セセリアの護衛として馬車に乗せてもらえることになった僕とシロウ。

ガラール森林からレイルズという街まで馬車で半日以上はかかるため、その間に僕はセセリアに色々なことを尋ねてこの世界の知識を仕入れることにした。

ここがどんな国なのか、これから向かうレイルズはどんな街なのか、どんな人が住んでいるのか、貨幣の価値だったり、文字だったり。

この世界の住人であれば、当然のように知っていることであろう常識を細かく尋ねたのだがセセリアは一切面倒くさがる様子もなく答えてくれた。

命を救った恩人という補正や今後の繋がりのためという打算もあるが、単純に人がいいんだろうな。

「イツキさんはレイルズに着いたら、どうされるんですか？」

「そうですね。まずは食材の確保ですね」

「食材ですか？」

「……狩りで手に入るのは肉ばかりですから」

「ああ、確かにずっと肉ばかりだと大変ですよね」

「他にも調理器具や香辛料の類《たぐい》も欲しいです。そのためにはある程度のまとまったお金も必要でどうやって稼ごうかなと」

「でしたら、冒険者になるのはいかがでしょう？」

「冒険者ですか？」

冒険者とは魔物の討伐や、素材の採取、稀少《きしょう》動物の捕獲、貴人《きじん》の護衛、街の掃除、荷運びと依頼の幅は様々で国や人々の要請する依頼を請け負《うお》うなんでも屋のようなもの。どこの街にも大抵はギルドがあり、冒険者たちはギルドに援助してもらいながら依頼を受け、素材や魔石の買い取りなどで生計を立てるようだ。

前世でやったことのあるゲームにおける冒険者と、そこまで大きな違いはないようだ。

「イツキさんほどの魔法の実力があれば、国に仕官して安定した収入を得ることが可能でしょうが自由を束縛《そくばく》されてしまうので」

「そうですね。僕自身も束縛されるのは苦手ですし、シロウと一緒に楽しく生きるのが目標なので」

せっかく健康な身体を手に入れたんだ。一か所に留まるようなつもりはない。今世はシロウと一緒に色々な場所を見て回り、美味しいものをたくさん食べるのが目的だからね。

安定するとはいえ、自由を阻害《そがい》されるのはゴメンだった。

「だったら冒険者一択ですね！　個人の力量が物を言う世界ですが、イツキさんとシロウさんならあっという間に高ランクになって稼《かせ》げますよ」

「ありがとうございます。レイルズに着いたら冒険者ギルドに立ち寄ろうかと思います」

どうやってお金を稼ごうかと頭を悩ませていたが、セセリアのお陰で稼ぎ方の目途《めど》がついた。前世では完全に組織で行動をしていたタイプなので、冒険者のようなフリーランス活動をすることに不安はあるが、シロウがいれば何とかなる気がした。

僕の膝の上で寝転んでいるシロウの背中を撫でる。

すると、隣に座っているセセリアが羨ましそうな視線を向け、おずおずと口を開いた。

「あの、シロウさんを撫でてもいいですか？　一度でいいからフェンリルに触れてみたくて……」

「シロウ、いいかな？」

「ワフ」

「ありがとうございます！」

シロウがこくりと頷くと、セセリアは拝むかのように頭を下げて手を伸ばした。

「はわぁっ！　すごい柔らかい！　もふもふだ！　もふもふ！」

シロウの背中を撫でながら幸せそうな顔をするセセリア。

かわいらしい生き物を愛でると人は幸せになれるのだ。

「あー、もうレイルズが見えてきてしまいました」

そんな感じでいくつかの質問をしつつシロウを愛でつつの移動をしていると、レイルズの街が見えてきた。

本来ならば喜ぶべきことなのにセセリアが残念そうにしている。

シロウとの触れ合いが終わってしまうからだろう。

馬車を進ませて城門の待機列へと僕たちは並ぶ。

巨大な城壁に囲まれているせいか街全体はわからないが、ぐるりと広がっている城壁からそれなりの大きさを誇っているようだ。

「レイルズには僕やシロウも入れるのでしょうか？」

ここまでやってきたはいいものの、肝心の僕とシロウが街に入れるのか不安になってきた。

僕は住所不定だし、身分を示すものを一切所持していない。それにシロウはフェンリルとはいえ、魔物だ。こんな怪しい組み合わせの人間と魔物を街に入れてくれるだろうか？

「従魔登録をしていないと手続きが面倒になるのですが、今回は私が保証人となるので問題ありません」

「保証人って……トラブルを起こせばセセリアさんのご迷惑になることに……」

「命を救っていただいたお礼です！　それにイツキさんとシロウさんならそんなことにならないと思います。これでも商人なので人を見る目はあるつもりですから」

「セセリアさん、ありがとうございます」

命を救ったとはいえ、こんなにも怪しい男にここまで優しくしてくれるなんてなんていい人なのだろう。レイルズに商会を持っているとのことなので落ち着いたら是非とも買い物をさせてもらう。

「シロウ。街に入る前に決めごとをしておこう」

「ワフ？」

シロウはとても賢い子なのでわかっているとは思うが、街に入ってトラブルを起こさないように話し合いをしておくのがいいと思った。

「街に入れば、僕と同じような人間がたくさんいる。でも、決して人間を襲っちゃいけないよ？」

「ワッフワッフ！」

シロウがそんなことはしないとばかりに強く声を上げる。

僕にだってそんなことはわかっている。

シロウは魔物だけど人間を襲うような狂暴《きょうぼう》ではない。人間のようなきちんとした理性を持っている。

信頼はしているが街の中で生活をするのはそれほど単純ではなく色々なルールがあるからね。

「わかってる。シロウがそんなことをしないってことは。でも、人間もすべてが善人じゃなくて、中には悪いことを考えて近づいてくる人もいる。たとえ、相手が挑発《ちょうはつ》してきても先に手を出したらダメだよ？」

「ワフー？」

なにそれ難しいとばかりにシロウが神妙《しんみょう》な顔をする。

僕も自分で言っておきながら難しいことを要求しているとわかっている。

「でも、相手が襲いかかってきたら遠慮なく無力化してもいい。やり過ぎはダメだからね？」

「ワッフ！」

「僕はシロウの判断を信じるよ。それが原因で何かあったら僕が何とかしてみせるから」

もし、シロウが人間に襲われ、相手を殺してしまうようなことがあってもそれでいいと思う。たとえ、それが原因で街にいられなくなってもシロウの命が助かったのならいい。

僕にとって大事なのはシロウだ。

仮に国を追い出されても別の国に行けばいいし、街を追い出されたら別の街に行くまで。

最低限、生活できるような道具と食料さえあれば、僕とシロウは森でも生きていける。

だから、国や街のルールに縛られることはない。

「さて、難しい話し合いは終わりかな」

やがて僕たちの順番がやってくる。

城門には槍を手にし、鎧《よろい》に身を包んだ衛兵《えいへい》が入場者の確認をしていた。

セセリアが何かカードのようなものを提示すると、衛兵と会話をして手招きをしてくる。

事情を説明するためにシロウを連れてきてほしいのだろう。

シロウと共に寄っていくと、衛兵がやや緊張した面持ちを浮かべた。

「はじめまして、イツキと申します。こちらは登録はまだですが従魔のシロウです」

「これがフェンリルか？」

「確実にそうだとは言えませんが、無暗《むやみ》に人を襲ったりはしませんよ」

武装した衛兵だけでなく周囲には多くの旅人や商人がいるが、シロウはまるで気にした様子がなくちょこんとお尻を地面につけて座っていた。

「確かにシルバーウルフではないな」

「知性を感じられる瞳をしている」

「うむ。セセリア商会の方が保証してくれることだ。街に入ってすぐに従魔登録を受けるのであれば問題ない」

そんなわけで僕とシロウはセセリアのお陰であっさりとレイルズに入ることができた。

身分証を持っていないと銅貨三枚ほどの通行税を取られるのだが、こちらはセセリアが渡してくれた。

「セセリアさん、よければ魔物の素材を買い取ってもらえませんか？　お金まで負担していただくのは申し訳なくて……」

「では、ゼノンマンティスの魔石を買い取らせていただいてもいいですか？」

「どうぞ」

「ありがとうございます」

マジックバッグから取り出したゼノンマンティスの魔石を二つ渡し、セセリアから銀貨二十枚ほど貰った。

これが異世界の通貨か……前世ほど鋳造《ちゅうぞう》に凝《こ》っているわけではないが、これはこれで趣《おもむき》がある。

一般的な宿で滞在する費用は、食事つきで一泊銀貨一枚といったところ。これだけあれば、当面の間は宿で暮らすことが可能だな。

「他にも何か素材があれば買い取りますよ」

「ブルホーンの毛皮などいかがです？」

「このブルホーンの毛皮でしたら金貨二枚で買い取らせていただきます！」

「なかなか高額ですね」

「ブルホーンの毛皮はとても暖かく肌触りもいいために高級品なのです。最近は供給も減っていたのでとても助かります」

マジックバッグによる鑑定でも高級品と書いていたが、そこまでの値段がつくとは思わなかった。

こちらもセセリアに買い取ってもらう。

「いやー、散々な目に遭いましたが、イツキさんのお陰で最後にいい商売ができました。ありがとうございます」

「いえ、お礼を言うのはこちらですよ。こちらこそありがとうございます」

「西区の方でセセリア商会というお店を開いているので、何かご入用があったらいつでもいらっしゃってください」

「はい。落ち着いたら行きます」

セセリアは商会に戻って馬車や僕が収納していた積み荷などを置いてから冒険者ギルドに報告へ行くようだ。その時に同行してギルドで登録することも考えたが、さすがにずっとお世話になるのは申し訳ないからね。

セセリアとはここで別れて、僕とシロウは冒険者ギルドに向かうことにした。

南門広場から中央区へと延びている大通りを僕とシロウは進んでいく。

「すごい街並みだなぁ」

「ワフウ」

地面には石畳や煉瓦《レンガ》のようなものが敷き詰められており、綺麗に舗装《ほそう》されている。

建物の造りは石材や木材が中心で通りには服屋や飲食店といった一般的な店だけでなく、武器や防具、怪しげな色をしたポーションなどを売っている店も並んでいた。

緑牛という名前だが、お肉自体が緑というわけではないようだ。

「はい。シロウ」

串肉の一本を差し出すと、シロウは器用に犬歯を突き立てて肉を引っこ抜いて食べた。

「美味しいかい？」

「ワフン！」

どうやら十分に満足できる美味しさだったらしい。

シロウが二口目のお肉を引っこ抜く傍ら、僕は左手に持っている串肉にかぶりつく。

歯を突き立てると程よい弾力があり、肉汁が広がる。

お兄さんが言っていた通り、一般的な牛と比べると乳臭さのようなものを感じない。

「うん、美味しい！」

牛肉の旨みと甘みがしっかりと出ており、オリジナルのスパイスが緑牛の美味しさをさらなる高みへと上げていた。

それにしてもこうやって誰かと買い食いをするのは気持ちがいいな。

一度でいいからこういうことをやってみたかったんだよね。

夢中になって食べていると、僕たちの串肉はあっという間に食べ終わってしまった。

シロウはまだ足りないのか物足りなさそうにしている。

「あれ？　いつの間にこんなにも人が？」

追加で串肉を買おうとしたらいつの間にか大勢の人が並んでいた。

あれ？　ついさっきまで誰も並んでいなかったのに。

「お兄さんたちのお陰で宣伝になったみたいだ。お礼に追加分はタダでいいよ」

「ありがとうございます！」

屋台のお兄さんの好意により、僕とシロウは追加分の二本を無料で貰うことができた。

3話　冒険者登録

「ここが冒険者ギルドか」

途中の屋台でお腹を膨らませた僕とシロウは、大通りを真っ直《す》ぐ進んだところで冒険者ギルドらしき大きな建物を見つけた。

緑色の屋根をした二階建ての木製の建物。看板には冒険者ギルドと書かれており、そこには武装に身を包んだ冒険者らしき人々が吸い込まれていく。

「よし、僕たちも入ろう」

知らない建物に入るのには勇気がいるが、シロウがいれば怖くない。

二枚扉をくぐって中に入ると、広々としたホールがお出迎え。

中央には多くのテーブルやイスが並んでおり、入口に近い右側にはちょっとした冒険道具を販売しているスペースがあり、その奥にはL字のカウンターが設置されていてギルドの制服に身を包んだ受付嬢《じょう》らしき人たちが対応をしている。

左側には酒場が併設されており、そちらには昼間から酒やつまみを手にして依頼書を眺める者や、昼間から顔を赤くして飲んだくれている者たちもいた。

実に冒険者ギルドらしい雰囲気だ。

最初にするべきことは僕の冒険者登録とシロウの従魔登録。

ひとまず受付に向かってもろもろの事務作業を終わらせることにしよう。

依頼の手続きをしているらしき冒険者の後ろに並ぶ。

待ち時間の間に周囲を眺める。

僕のような年代の冒険者はいないことはないが割合としてはかなり少ない。ほとんどが二十代、三十代のような大人だ。誰も彼もがファンタジーゲームのような武装をしている。

平和な日本では武装をしている人なんていなかったから、こうやって武装をしている人たちを見ると異様な雰囲気のように思える。

だけど、この世界ではこれが普通なんだ。慣れないとな。

従魔を連れているのが珍しいのか僕だけでなくシロウに視線が集まっているのを感じる。

大勢の人間に見られてシロウは居心地が悪そうだ。

早く順番がこないかと願っていると、ようやく僕たちの番になった。

「こんにちは。冒険者ギルドへ、ようこそ。はじめての方ですね？」

にっこりとした笑顔で出迎えてくれたのは、金色の髪に翡翠《ひすい》色の瞳をしたお姉さんだった。

カッチリとした制服に身を包んでおり、ちょこんと頭に乗った帽子が実にかわいらしい。

さすがはギルドの顔になる受付嬢だけあって綺麗な人だ。

「はい。冒険者登録をしたくて」

「冒険者やギルドについての概要はご存知ですか？」

「おおまかに把握していますが、念のためにお願いします」

セセリアから冒険者やギルドについては聞いているが、聞き漏《も》らしのようなものがあるといけない。軽く説明を頼むと、慣れているのか受付嬢は冒険者についてスラスラと説明してくれた。

こちらに関してはセセリアから聞いた通りだ。

細かい禁止事項や依頼失敗によるペナルティなどを聞いたが、道徳に違反することさえしなければどうということはないな。

「ここまでのご説明でわからない部分や質問はありますか？」

「問題ないです」

「では、冒険者登録の手続きに入りますね。こちらの紙に記入をお願いします」

受付嬢が記入用紙のようなものを差し出してきたので羽根ペンを使って名前などを書き込んでいく。

あれ？　そういえば、普通に異世界で人と話せているし、文字だって明らかに日本語じゃないのに読めたり、字もこうやって書いたりができる。不思議だ。女神が身体を作り替える時に不自由しないようにチューニングしてくれたのだろうか？　多分、そうとしか考えられないので感謝だ。

名前はイツキ。年齢は前世だと二十六歳だったけど、今は高校生くらいの見た目だし十六歳でいいかな？　職業は魔法が使えるので魔法使いとしておく。

相棒にシロウがいるとはいえ、別に魔物使いってわけじゃないしね。

記入用紙を渡すと、受付嬢が視線を通して確認。

確認が終わると受付嬢は懐から一枚の真っ白なカードを差し出してくる。

「こちらのカードに血液を垂らすか、魔力を流してください」

血を流すのはあまり好きじゃないので、もちろん僕は魔力を流すことにする。

魔力を流し終わると、受付嬢はカードを丁寧に回収。

傍にある地球儀のような道具にカードをセットすると、カードに淡い光が浮かび上がった。

「はい。こちらがイツキさんのギルドカードです」

カードを受け取ると、先まで真っ白だったカードが青銅色に変化していた。

「イツキさんは登録したばかりなので七番目のランクのFからスタートになります」

冒険者のランクはS、A、B、C、D、Eという順番にあるので、僕は最下級ということになる。

ランクが上がるとギルドでの待遇は良くなり、危険は伴うが高収入の依頼を受けることもできる。さらには貴族や王族から指名依頼なんてものもくるようになったりと、高位になるほどお金が稼げるようだ。

別に大金持ちになりたいわけではないが、この世界では色々な国や街を巡ったりとやりたいことはたくさんある。旅をするにもお金は必要になるので、たくさん稼げるようにランクは上げておいた方がいいな。無理のない範囲で頑張ってみよう。

「はい。今のところ扱えるのは初級のものばかりですが」

「魔法使いは稀少でどこのパーティーでも不足しているので登録が済んでしまえば引っ張りだこになりますよ！」

「そうなんですね。でも、僕にはシロウがいるので今のところ誰かとパーティーを組むことは考えていないです」

「シロウ？」

僕と受付嬢の間にはカウンターがあるので足元にいるシロウが見えないようだ。

「ここにいる僕の相棒です」

「えっ！　何この子！　かわいい！」

シロウを抱え上げて見せると、受付嬢が目を輝かせて大きな声を上げた。

突然の受付嬢の黄色い声に他の職員や冒険者が何事かという視線を向けてくる。

「す、すみません。かわいさのあまりつい大きな声が漏れてしまい……」

「いえ」

受付嬢は悪くない。こんなかわいいもふもふを見れば誰だって興奮するに決まっている。

この人とは仲良くなれそうだ。

「シルバーウルフではなさそうですね？」

「知り合いの商人の方にはフェンリルではないかと言われました」

「ふぇ——⁉」

叫びそうになった彼女だが、今度は口を押さえて何とか堪《た》えることができたようだ。

「森で拾ったので正確にはわかりませんが、シロウの従魔登録って可能ですか？」

「ちょ、ちょっとお待ちください。支部長に確認をします」

尋ねると、受付嬢は慌てて奥へと引っ込んでしまった。

フェンリルだと従魔登録ができないとかあるんだろうか？

不安に思いながら受付で待っていると、ほどなくして受付嬢が大柄な男性を連れてやってきた。

銀色の髪をオールバックにしており、頬には大きな傷がついている。

年齢は四十代中ごろを思わせるが、服の上から隆起《りゅうき》している筋肉からして過去に冒険者をやっていたのかもしれない。

「支部長のグラントだ」

「つい先ほど登録をしましたイツキです」

「従魔登録をさせたいのはこちらの魔物か？」

「はい。シロウといいます」

シロウを紹介すると、グラントはじろりと鋭《するど》い視線を投げかけた。

強面《こわもて》なのもあってかなりの迫力だが、シロウは特に気にした様子もなく足で耳をかいていた。かわいい。

「では、従魔の登録試験を始めよう！」

グラントは腰の剣を引き抜くと、突然シロウへと振り下ろした。

このままいけば頭部を叩き斬られてしまうのにシロウは平然としていた。

グラントの振り下ろした剣は、シロウの頭の上でピタリと止まっている。

「殺意がないことを見抜いているか。賢いな」

どうやらシロウはグラントが寸止めするとわかっていて動かなかったようだ。

「次は当てるぞ？」

先ほどとは違ってグラントの体内で魔力がうごめき、圧力が増すのがわかった。

殺意なのか戦意なのかはわからないが、こちらを害するような気配がビシビシとする。

魔力を纏ったグラントがシロウへと斬りかかる。

先ほどとは違って目にも止まらない速さで繰り出される攻撃。

僕なんかの目では捉えることができない。

しかし、シロウはそれらをすべて見切り、尻尾で弾いていた。

「……合格だ。シロウを冒険者イッキの従魔として認めよう！」

グラントが静かに宣言をすると、周囲にいた冒険者たちが称えるように手を叩いた。

「すまないな。見世物のような真似をしてしまって」

「いえ」

穏便に返事はするが、正直このような場所でシロウを試すようなことをしたのは疑問だ。

わざわざ皆の前でやる必要なんてなかったのでは？

そんな僕の胸中を悟ったのか、グラントが申し訳なさそうに口を開く。

「さすがにフェンリルを従魔ともなると、こうやって周囲の奴らにも安全だと目に焼き付ける方が効果的なんだ」

「やはり、シロウはフェンリルなのですか？」

「間違いない。私は過去にフェンリルと対峙したことがあるからな」

トントンと自らの左頬にある傷を指し示すグラント。

どうやら過去フェンリルと遭遇した時にやられた傷のようだ。

対峙してどうなるか気になるところだが、この場で聞けるような話題ではないだろう。

「従魔登録を進めてくれ」

「………」

グラントが指示を出す。

受付嬢は粛々と登録の準備を進めるが、上司であるグラントに返事はしない。

明らかに不機嫌そうだ。

「おい、なんで無言なんだ」

「シロウちゃんに斬りかかるなんて最低です」

「いや、これは従魔登録のための試験であってだな……」

グラントが必死に弁明をするが、シロウのファンになってしまった受付嬢的には許せない所業らしい。

シロウの従魔登録が済むまで、グラントの弁明は続いた。

●

「こちらが従魔登録の証明となる首輪になります」

従魔登録の手続きを終えると、受付嬢が赤色の首輪を差し出してきた。

登録をした従魔の証として、これをシロウに着けておけということだろう。

「あの、シロウが大きくなった時はどうすればいいでしょう？」

うちのシロウは成長期だ。

たった一日で一回りも大きくなるくらいなので、首輪のサイズが心配だ。

「その首輪は従魔の体形に合わせて形を変えるのでサイズに関しては問題ないですよ」

「そうなんですね」

良くわからないけど、サイズの調整機能とやらがついているらしい。

「シロウ、ちょっと首輪をつけさせてもらうよ？」

「ワッフ！」

念のため許可を取ってから、僕はシロウの首元に首輪を近づける。

すると、首輪がにゅっと大きくなってシロウの首へと巻き付いた。

本当にサイズ調節機能があるようだ。

なんて便利なんだろう。人間の服でもこれがほしい。

「お、似合ってるじゃん」

なんて言うと、シロウは自分の首元に視線をやって嬉しそうに歩き回る。

「……かわいい」

そんなシロウの仕草を見て、受付嬢はため息を漏らすかのように呟いた。

本当にすっかりとシロウのファンだな。

さて、これでギルドでの用は済んだ。あとはこの街で宿泊できる場所を探すだけだな。

「あの、この街にくるのは初めてで。シロウのような従魔と一緒に泊まれる宿はありますか？」

「でしたら、『獣《けもの》の箱庭亭』がいいかと思います」

従魔登録をしていれば、どこの宿でも大抵は泊まれるらしいが客層の悪いところだとからまれたりするらしい。

無用なトラブルを避けるのであれば、少しグレードが高めの宿がお勧《すす》めとのこと。

「さらに『獣の箱庭亭』は獣人族が経営していますので従魔に対する理解も深いです」

「なるほど。では、そちらの宿にしようかと思います」

受付嬢に地図を書いてもらって宿の場所を教えてもらうと、僕とシロウは早速とそこに向かう。

目的地である『獣の箱庭亭』は冒険者ギルドから歩いて七分くらいのちょうどいい場所だった。

「『獣の箱庭亭』へようこそ。ご宿泊ですか？」

三階建ての木造の宿に入ると、僕たちを迎え入れてくれたのは獣の耳に尻尾を生やした獣人族の少女だった。

この街に入って、獣人族を何度か見かけることがあったがこんなに間近で見るのは初めてだった。

ファンタジー種族だ。すごい。

「はい。冒険者ギルドの紹介でやってきました。従魔と一緒なのですが問題ありませんか？」

「当宿は従魔の宿泊も大歓迎です」

受付嬢の言ってくれた通り、この宿なら従魔との宿泊も可能のようだ。

ひとまず、一週間分の費用を払うと、鍵《かぎ》を貰って割り当てられた部屋へと移動する。

「わっ、部屋も広いし内装も綺麗だ」

人間用のベッドだけじゃなく、従魔のための小さなベッドや布団、クッションなどが用意されている。

「ワッフ！」

シロウは早速と駆け出してクッションに埋もれていた。

ビジネスホテルのような窮屈《きゅうくつ》な部屋を想像していたのだが部屋のスペースにはゆとりもある。従魔がストレスを感じないように広々とした設計にしているのかもしれない。

グレードが高いからか一般的な宿に比べると、ちょっとお高いがシロウも楽しそうにしているし、ここにして良かったと思う。

シロウがクッションと戯れる中、僕は衣服をハンガーにかけるとベッドにダイブ。

昨日は野宿だったのでベッドがあるだけでありがたい。

こうやって無事に街にたどり着けたのもセセリアのお陰だな。

明日は街で買い物をする予定だし、セセリアのお店とやらに顔を出すことにしよう。

●

「うぎゅ」

翌朝。目を覚ますと、シロウが僕の身体に覆いかぶさっていた。

「ワッフ！」

どうやら既にお目覚めだったらしい。

「おはよう、シロウ」

胸元にあるこんもりとした体毛を撫でると、僕はゆっくりと起き上がった。

カーテンを開けると太陽はすっかりと昇っており、通りでは大勢の人が行き来していた。

一昨日は野宿だったし、昨日は初めての街にやってきて色々な手続きをしたせいか疲労でかなり長く眠ってしまったようだ。でも、ゆっくり眠れたお陰で疲労もかなり取れた。

「遅くなってごめんよ。顔を洗ったらご飯に行こう」

洗面台に移動すると、水魔法を発動して素早く顔を洗う。

同じくシロウの顔や手足なども濡れタオルで拭ってあげる。

本当はお風呂に入りたいんだけど、残念ながらこの宿にはついていないみたい。

街には大衆浴場があるけど、従魔は一緒に入ることはできない。

魔法でお湯を作り出せることだし、タイミングを見て外で入ってしまおうと思っている。

とりあえず、今は朝食だ。手早く外着へと着替えると、僕とシロウは宿を出る。『獣の箱庭亭』には食堂も併設されているが、初めての街なのでせっかくなら外で食べたいからね。

中央広場までやってくると、周囲にはたくさんの屋台が出店されていた。

昨日はここまで屋台が多くなかったが、朝になると仕事前の人に食事を提供するために出店されるようだ。

「ワフン！」

シロウのご所望は昨日と同じ緑牛の焼き串のようだ。

「おっ、今日もきてくれたのか」

「シロウが気に入ったみたいで。五本ください」

「あいよ」

シロウのために焼き串を五本ほど買った。

僕も食べるか迷ったが、やはり朝はもう少し軽めにしたいので別の料理を買うことにする。

串を冷めないようにマジックバッグに収納すると、シロウがシュンとした。

「もう少しだけ待ってね」

シロウを宥《なだ》めながら僕は素早く屋台を確認。

丸くて平らなパンの上にベーコン、玉子などがのったイングリッシュマフィンのようなものがあったのでそれを注文。それだけじゃ少し物足りないので隣の屋台で売っていたミネストローネも買うことにした。

中央広場の端に設置されているベンチがちょうど空いたので、そこに腰掛けることにした。

僕の料理は片手で食べられるものではない。

昨日みたいにずっと焼き串を差し出しているわけにもいかないので、土魔法でシロウのためのお皿を作り上げ、そこに焼き串を並べた。

自分のイングリッシュマフィンとスープの載ったお皿を膝の上に置くと、両手を合わせる。

「じゃあ、食べようか。いただきます」

シロウがガツガツと焼き串を食べるのを横目に、僕もイングリッシュマフィンを頬張る。

小麦の香ばしい匂いが鼻孔《びこう》を突き抜け、バターで味付けをされたとろとろの玉子が飛び出てくる。それだけでなく塩気の利いたベーコンが後からじんわりと広がり、柔らかい味わいの中でいいアクセントになっていた。

「うん、美味しい」

表面はカリッとしており中はもちっとしている。

具材が美味しいことはもちろんのこと、温かいマフィンの風味と食感が堪らないな。

「くうん」

夢中になって食べていると、シロウが羨ましそうにこちらを見上げていることに気づいた。

どうやら僕が食べているのを見て、食べたくなったようだ。

「シロウにも一つあげるよ」

「ワフン！」

こうなることを半ば予感して、イングリッシュマフィンを三つ買っておいたからね。

シロウの口元にイングリッシュマフィンを持っていくと、パクリと食べた。

「どう？　美味しい？」

「ワフン！」

中に入っているお肉はベーコンだけだが、それ以外の食材も気に入ってくれたようだ。

元気良く鳴くと、ご機嫌そうに尻尾を振った。

この様子を見る限り、フェンリルだからお肉しか食べないってわけでもないようだ。

そのことに少し安心しながら木製のカップに入ったミネストローネを口にする。

フレッシュなトマトの酸味が口の中に広がった。

スープの中に入っている細かく切り刻まれたニンジン、スライスされたタマネギ、ジャガイモなどから優しい甘味が染み出している。

「……朝に温かいスープを飲むとホッとするな」

スープを飲みながら中央広場を通っていく人々を眺《なが》める。

獣人、ドワーフ、エルフ……この世界には人間以外にもたくさんの種族がいる。

前世でロクに出かけることのできなかった僕にとって、様々な種族が存在するこの街は見ているだけで楽しいものだ。

●

中央広場で朝食を終えると、僕とシロウはセセリアの商会を訪れることにした。

「えっと、確かこの辺りのはずなんだけどなぁ」

お店の場所は地図に書いてもらったのだが、この街にやってくるのは初めてで現在地がどの辺りなのかわからない。

うろうろと迷いながら歩いていると、シロウがスンスンと鼻を鳴らして前を歩き始めた。

セセリアの匂いを覚えているのだろうか。シロウに付いていけば、お店にたどり着けるかもしれない。

シロウの後ろを付いていってみると予想は的中し、セセリア商会と書かれたお店が建っていた。

二枚扉をくぐると、お店の中には色々な商品が陳列されていた。

「いらっしゃいませ！　あっ、イッキさんにシロウさん！」

奥から急いでやってきたのは、僕たちをレイルズまで案内してくれたセセリアだ。

「おはようございます。セセリアさん。もろもろの登録が終わったので顔を出しにきました」

「早速、顔を出しにきてくれるなんて嬉しいです！」

「少し店内を見てもいいですか？」

「もちろんです！」

目の前に並んでいる商品は、布、タオル、肌着、ロープ、ナイフ、洗剤……なんだかあまり商品に共通点がないように思える。

「一階から二階は生活必需品や冒険者にとって必要な道具などを陳列しています」

「ああ、なるほど」

前世で生活必需品と言えば、ティッシュや、トイレットペーパー、家電などが思い浮かぶが、ここは日本と違った異世界だ。そういった前世のお店と同じ光景が広がっているわけがないか。でも、こうやって観察すると、こちらの人たちがどんな暮らしをしているのかが何となくわかる。

宿で泊まってわかったことだが、この世界では前世のようなライフラインが整っているわけではない。

光源などは蠟燭《ろうそく》で確保するか、光魔法、あるいは魔道具のようなもので補うのだろうな。

「三階と四階では何が売っているんですか？」

「三階は食料品、保存食、薬草、医薬品などが売っており、四階には魔道具があります」

「魔道具！　そちらも見ていいですか？」

「いいですよ！」

前世のように便利な家電のない世界であるが、魔道具がその代わりになる存在だと僕は思っている。

魔力で光を放つような魔道具や、火を起こすような魔道具があれば、外での食事も便利になりそうだ。

魔道具売り場へ移動すると、赤いカーペットなどが敷かれており内装の高級感が上がった。

フロアにはガラスケースや棚が設置されており、魔道具が並んでいた。


『魔道ランプ』

無属性の魔石をエネルギー源として、光を放ち続ける魔道具。

十二時間ほど光り続けるが、衝撃などに弱い。

『魔力水筒』

水筒の底部分に水魔石が埋め込まれており、魔力を流すことで冷たい水を生成することができる。


『魔道コンロ』

火魔石を原動力とした携帯型コンロ。

レバーを操作することによって繊細《せんさい》な火の調整が可能。


説明文を読む限り、前世にもあったカセットコンロと似たような性能をしているようだ。

「魔道コンロ！」

「魔道コンロに興味があるんですか？」

「ええ、これがあれば魔法を使わなくても火を起こせるし、気楽に外で調理もできるかなと」

「冒険者にもなると依頼のために長期間街を離れることもありますし、外で気楽に調理ができるようになるのは心強いですよね」

「はい！　だから買おうと思っているのですが、なかなかにいい値段がしますね」

「魔道具は高級品なので……」

陳列されている魔道コンロの値段を見ると、一番安いタイプで金貨二十枚からと書いてある。

「イッキさんであれば、少しだけお安くすることも……」

「いえ、それは申し訳ないので自力でなんとか貯めます」

いくら知り合いとはいえ、こんな高いものを安くしてもらうなんて申し訳ないからね。

「魔道コンロを買えるようになるのを当面の目標にします」

「わかりました。イッキさんのためのこの魔道具はお取り置きしておきますね」

「ありがとうございます！」

ひとまず、魔道コンロを買うのを目標に冒険者活動を頑張っていこうと思う。

●

セセリア商会で買い物を済ませた僕は、満足気に冒険者ギルドに向かう。

魔道具を見て回った後は、他の階層で生活必需品や食料品などを買わせてもらった。

お陰でずっと足りなかった塩、胡椒、香辛料、食器、布類、衣服などを購入することができ、身の回りの必要なものはあらかた揃ったといえるだろう。

宿泊費を纏めて先に払ったこともあり、全財産は金貨一枚と銀貨五枚ほどに減ってしまったが、ここからはギルドでの依頼をこなすことで頑張っていこうと思う。

冒険者ギルドにやってくると、掲示板の前が賑わっていた。

掲示板には大量の依頼書が貼り出されているので近づいて目を通す。

登録したての僕のランクはＦ。

多くの依頼は採取、街での雑用が多いが、討伐依頼もないわけではないようだ。

ただ下級の魔物の討伐依頼だからか思ったよりも報酬は高くない。

時間をかけて魔物を倒すよりも、効率良く採取をした方が稼げるような気がする。

レイルズに来てまだ間もないわけだし、討伐依頼を受けるよりも採取依頼をこなして環境に慣れる方がいいかもしれない。

「よし、今日は肩慣らしで採取依頼にしよう」

採取場所は街から東に向かったところにある森だ。

久しぶりの外ということもあってシロウも喜ぶに違いない。

概要を読み込むと、僕は依頼書を引っぺがして受付へと並ぶ。

順番が回ってくると、昨日登録を担当してくれた受付嬢だった。

「あ、昨日の」

「ノノアといいます。よろしくお願いします」

「こちらこそ、よろしくお願いします」

「シロウちゃんもよろしくね？」

「ワッフ」

「……かわいい」

　シロウに見惚れていたノノアだが、隣にいる上司らしき女性が咳《せき》払いをすると、慌てたように居住まいを正した。

「依頼の受注ですね？」

「はい。こちらの依頼をお願いします」

「キルク薬草の採取ですね。今、薬草が不足気味だったのでとても助かります」

　どうやらキルク薬草はポーションを作るのに必要な材料なので、とても需要が高いらしい。

　納品数は十本だが、それよりも多く採取してきても買い取ってくれるそうだ。なんなら多ければ多いほどに色をつけてくれるとのことだ。余裕があれば、できるだけ採取しよう。

「受注完了です。それではお気をつけていってらっしゃいませ」

「ありがとうございます。行ってきます」

　笑顔のノノアに見送られて僕とシロウはギルドを出る。

　そのまま大通りを南下していく。

　南門へと近づいていくと、僕たちの向かう先が外だとシロウにも理解できたようで嬉しそうに尻尾を振っていた。

　足取りもどこかリズム良く、シロウのご機嫌さが伝わってくるようで微笑ましい。

南門にはセセリアと一緒に入った時の二人組の衛兵がいた。

そういえば、従魔の登録が済んだら報告をしてほしいと言っていたっけ。

「おはようございます。無事にギルドでの冒険者登録と従魔登録も終わりました！」

「おお、そのようだな。ギルドでの審査が通ったので問題はないと思うが、くれぐれも街で問題は起こさないようにな」

「冒険者はカードさえ見せれば、通行税はいらないから自由に出入りしていいぞ」

冒険者になれば、仕事で頻繁《ひんぱん》に街を出入りすることになる。

その度にお金を徴収されていては、さすがに冒険者もやっていられないので領主とギルドによって通行税は免除されている。

これは冒険者に登録する大きなメリットだといえるだろう。

これだけを見ると、免除目的のために登録をするものが後を絶たないと思われがちだが、登録した以上は一定以上の依頼を受けないと資格を剝奪《はくだつ》されるなどのペナルティがあるようだ。基本的にゆるめな規則ではあるが、一応は悪事に利用されないだけのルールは考えているみたいだ。

城門を出ると周囲は一面の平原だ。気持ちがいいほどに緑が広がっている。

こんな光景は日本じゃ決して見られないだろうな。遠出することのできなかった僕にとっては、こんな何気ない光景でも新鮮だ。

外に出ることができて嬉しいのか、シロウは無邪気に走り回っている。

やっぱり、街の中では動き回りたいのを相当我慢していたのだろう。

わしゃわしゃと草むらを踏みつけているのがかわいい。

終《しま》いには草原の中に寝転がってこちらにお腹を見せつけてくる。

これは撫でろということか。

そのような魅力的な誘いを受けて断れる紳《しん》士《し》淑《しゅく》女《じょ》はいないに違いない。

僕は全力でシロウに駆け寄って、ふわふわとしたお腹を撫で回してやる。

シロウの毛並みはとてもサラサラで指の間をスーッと通っていく。まるで絹《きぬ》でも触っているように滑らか。それなのにしっかりと毛量もあってクッションのようにふわふわだ。

お腹は他の部位よりも柔らかく体温も高いので触っているだけで気持ちいい。

ああ、仕事中なのにこんな風にもふもふと戯れることができるなんて最高だな。

●

しばらくするとシロウは満足したのか唐突に立ち上がり、周囲を旋回《せんかい》するように走り出した。

立ち止まっては走り、こちらに期待するような視線を向けてくる。

「せっかくだし、森まで少し走ろうか！」

「ワッフ！」

今の身体でどれくらいの速度でどの程度の距離まで走ることができるのか。確かめるいい機会だ。

シロウのストレスも解消されることだし、ランニング程度なら喜んで付き合おう。

そう思って走ると、シロウがとんでもない速度で前を走っていく。

「速っ！」

とてもランニングの速さじゃない。

置いていかれないように速度を上げると、なんとか距離の開きが一定になった。

「生まれ変わって僕自身の身体も強くなっている？」

タイムを計っているわけではないが、僕自身の走る速度もとんでもないものになっている気がする。こちらの世界ではこれくらいの速さで走れるのが普通なのだろうか？

わからないが平原を高速で突っ切る感覚はとても気持ちがいい。

走っていると、シロウがちらちらと視線を向けてくる。

恐ろしいことにシロウはまだまだ本気じゃなく、僕に合わせてスピードを調整しているようだ。かなりの余裕を感じる。

よし、どうせなら僕自身がどこまで速く走れるか検証してみよう。

足の回転を上げると、さらにスピードが上がる。

前から後ろに景色がドンドンと流れた。

すごい。健康な身体だとこんなにも速く走ることができるんだ。

思いっきり走るって楽しい！

僕が速度を上げると、シロウもさらに速度を上げてくる。

まるで風と一体化しているかのようだ。

僕自身もかなり速いが、やっぱりフェンリルであるシロウはそれ以上に速い。

肉体的なスペックが違うのでしょうがない。

スペックに差があるのであればどうすればいいだろう？

僕に誇れるものは魔力だ。だったら魔力で差を埋めるしかない。

従魔試験を行う時にグラントは身体に魔力を巡らせていた。

あれはおそらく魔法教本にも載っていた身体強化だ。

魔力を巡らせることによって筋肉を強化し、基礎能力以上の肉体性能を発揮させるもの。

それと同じことをすれば、僕でもシロウに追いつくことができるかもしれない。

身体の内側にある魔力を活性化させて足へと巡らせる。

すると、足の筋肉が強化されて、一歩の踏み込みが強力になって速度が俄然と増した。

お陰でスピードアップしたシロウを追い抜いてしまう。

「ワッフ！」

振り返ってニヤッと笑ってみせると、シロウはむっとしたような顔になる。

これならシロウも追いつけまい。

と、思っていた次の瞬間、僕の真横を風が通り過ぎた。

慌てて視線を前に向ける頃にはシロウは視界の先へ。

一瞬だけ見えた光景だったが、シロウの体には風が纏わりついていた。

どうやら風力を利用して加速しているらしい。

そんなのアリか……。

「だったら僕も！」

シロウを真似しようとして僕も風魔法を発動させ、身体に纏わりつかせる。

「おわっ！」

しかし、荒れ狂う風力を制御するのはとても難しく、僕は草原を盛大にすっころんだ。

●

小一時間ほど移動すると、僕とシロウは東の森へたどり着いた。

魔法の制御に失敗し、盛大にすっころんだせいでボロボロだが仕事をこなすのに支障はない。

「さて、キルク薬草はどこだろう？」

キルク薬草を採取したことはないが、今回はノノアの厚意でサンプルを一つ貰っている。

白い花弁をつけた、ヨモギのような葉っぱをした植物。

これを見ながら同じものを見つければいい。

とはいっても森の中にはたくさんの植物が群生していて、ぱっと見ではどれがキルク薬草かわからないな。

仕方がないので屈んでひとつひとつ見比べていく。

なんだか四つ葉のクローバーを探しているみたいだ。

「あ、これがキルク薬草かな？」

十五分ほど地面とにらめっこをしていると、ようやくそれらしいものを一本見つけた。

サンプルと酷似《こくじ》している。確証が持てないのでマジックバッグに入れてみる。

困った時はマジックバッグの鑑定機能だ。

『キルク薬草』

花弁と葉の部分に治癒効果の成分が含まれている。

薬の材料にもなり、魔力調合を行うことで治癒効果のあるポーションを作り出すことも可能。

どうやらキルク薬草で合っていたみたいだ。

「これと同じものをあと九本かぁ……」

一本探し出すのに十五分かかったことを考えると、二時間以上はかかってしまう計算になる。もちろん、群生地帯を見つければ一気に採取できるかもしれないが、その逆もあり得るというわけで。早く見つけられるようにコツをつかまないとな。

再びキルク薬草の捜索を続けようとすると、シロウがキルク薬草へと鼻を近づける。

「もしかして、匂いでわかるのか？」

「ウォッフ！」

シロウはそうだとばかりに頷くと、森の中をずんずんと歩いていく。

その後ろを付いて歩いていくと、木々の生えていない開けた場所にやってきた。

「キルク薬草の群生地だ！」

そこには手に持っているキルク薬草と同じものがたくさん生えていた。

「すごいじゃないか！　シロウ！」

「ワフン！」

シロウがもっと褒めてもいいんだぞとばかりに得意げな顔をしたので、わしわしと頭を撫でてもっと褒めた。

シロウをひとしきり撫でると、僕はキルク薬草を次々と採取していく。

「シロウ、他にも群生地を見つけることはできるかい？」

「ワフン！」

納品数は十本だが、多ければ多いほどに色をつけて買い取ってくれるので多めに採取しておくに越したことはない。

またしてもシロウの後ろを付いていくと、木々の根元に小さな群生地があった。ありがたい。ここでも採取し放題だ。

気づかなければなんて変哲もない雑草のように見えるが、一度価値がわかってしまえば宝の山のように見える。なんて思ってしまう僕は案外俗物《ぞくぶつ》なのかもしれない。

「ふう、これだけあれば十分だね」

シロウに群生地を見つけてもらっては採取を繰り返すと、僕のマジックバッグには八十本ものキルク薬草が収まっていた。

一時間ほどでこれほどの数を採取できるとは思わなかった。

群生地を見つけてくれたシロウのお陰だな。

キルク薬草の採取が終わると、僕とシロウは街に戻ることにした。

行きと同じようにシロウと競争したが、やっぱり速さでは勝てなかった。

「キルク薬草の判別でわからないことでもありましたか？」

冒険者ギルドに戻って報告をしようとすると、ノノアが生暖かい視線を向けてきた。

短時間で帰ってきたこともあり、僕が依頼をこなせずに戻ってきたと思っているのかもしれない。

「いえ、キルク薬草の納品に来ました」

「え？　もうですか？」

ノノアが目を丸くする中、僕はマジックバッグを逆さまにして大量のキルク薬草をカウンターに積み上げた。

「わわっ！　マジックバッグですか⁉　というか数が多くないです⁉」

「八十本くらいあるはずです」

ノノアだけでなく、他の受付嬢も丁寧にキルク薬草を数えていく。

マジックバッグにはカウント機能があるので採取した本数を僕が間違えることはないのだが、そんなことはノノアたちはわからないし、確認する義務もあるだろうから何も言わずにやらせておく。

突如始まった大作業ということもあり、ギルドにいる冒険者たちからの注目がすごい。

「……八十本ありますね」

「良かったです」

「ですが、一体どうやって？」

登録したての新人冒険者がこんな成果を上げてしまえば、内容が気になるのも当然か。

「シロウが群生地を見つけてくれたお陰です」

「たくさん採取できた理由はわかりましたが、ここまで早く終えた理由がわかりません。東の森には片道で一時間くらいはかかるはずですが……」

「身体強化などの魔法を使って走れば十分もかかりませんよ？」

「……なるほど。イツキさんも大概《たいがい》おかしいんですね」

移動時間にさほどかかることはないと伝えると、ノノアがやや呆れたような視線で言った。

ええ？　僕らの移動時間っておかしいんだろうか？　こっちの世界にやってきて知り合いなんてほとんどいないし、比べる基準がシロウしかいないのでわからなかった。

●

何かが覆い被さるように重みで目を覚ました。

最初は軽くパニックになったが、三度目ともなると冷静に対処することができた。

僕の身体の上にのしかかってきたシロウを持ち上げて退かそうとする。

が、思ったよりも重い。

「あれ？　また大きくなった？」

ふとシロウを見てみると、また大きくなっているように見受けられた。

昨日よりもさらに一回り大きくなっており体重だって重くなっている。

顔つきはまだまだ幼いが、若干の精悍《せいかん》さが入っているような気がした。

ベッドの上でシロウと戯れると、顔を洗って外着へと着替える。

朝食を食べるために中央広場に繰り出す。

シロウのお気に入りは緑牛の串焼き。

初日にこれを食べてからすっかりと気に入ったようだ。

「ワッフ！　ワッフ！」

「え？　まだ足りないの？」

昨日と同じように五本買ったのだが、それだけでは足りないらしい。

思い切ってさらに五本ほど買ってみるとシロウはぺろりと平らげた。

満足げにしているもののまだ食べられるって顔をしているな。

昨日と比べると食べる量が二倍になっている。体が成長した分、食べられる量も増えたということだろう。

朝だけならともかく、昼、夜とこれが続けば食費がちょっとやばいかもしれない。

昨日の依頼で稼いだ分の金額が三日分の食費で消し飛んでしまいそうだ。

シロウの食費を稼ぐためにも早くランクを上げて、高収入の依頼を受けられるようにしないと。

朝食を速やかに終えると、僕とシロウはその足で冒険者ギルドへと赴いた。

掲示板へと移動すると、僕はＦランクでも受けられる依頼書に目を通す。

昨日は肩慣らしということもあって採取依頼にしたが、今日は討伐依頼にしよう。

東の森の方が地形の把握ができているので、東の森での討伐依頼を探してみる。

「おっ、これなんてよさそうだな」

ホーンラビットの討伐。

額に生えている角が大変鋭い上に素早い魔物のようだが、攻撃自体は単調なので落ち着いて対処をすればFランク冒険者でも容易に討伐できるようだ。

魔石だけでなく、毛皮や角を剝ぎ取ればギルドが買い取ってくれる上に、その肉は食用とのこと。

お金を稼ぐだけじゃなく、食材までゲットできるなんて今の僕たちにピッタリの依頼だ。

「シロウ、ホーンラビットの討伐にしよう！　倒せばお金が貰えるだけでなく、美味しい兎肉が手に入るよ！」

そのことをシロウに伝えると、わかりやすいほどに目を輝かせて尻尾をフリフリした。

お肉が手に入るということもあり、シロウにも異論はないらしい。

意見が一致したことで僕は依頼書を持って受付に向かう。

今日も受付にはノノアがいたが、他の冒険者が大勢並んでいた。

ノノアは受付嬢だけあってとても美人だ。冒険者の人たちが日々の潤いを求めて、ノノアに対応をしてもらいたいという気持ちもわからなくもない。

とはいえ、時間は有限だ。僕は混雑しているノノアの列には並ばずに、空いている別の受付嬢のところへ並んだ。
一、二分ほどすると、すんなりと僕たちの番になった。

「冒険者ギルド、レイルズ支部にようこそ！　クルンがご用件を承ります――わっ！　シロウちゃんだ！」

僕の対応をしたことのないクルンという受付嬢だが、シロウのことは知っているようだ。

カウンターから身を乗り出して無邪気にシロウを見つめている。

「――はっ！」

「どうされました？」

「……あ、あの、私のところでいいんですか？」

先ほどまでニコニコしていたクルンが、急に顔色を蒼白にしておずおずと尋ねてくる。

「どういう意味です？」

「その、いつも対応されているのはノノア先輩なので……」

何かを気にしたような受付嬢の視線を追いかけると、ノノアが嫉妬の表情を浮かべてこちらを見ていた。

僕に嫉妬しているわけではない。シロウが来てくれないことへの嫉妬だ。

「さすがに混んでいる時は仕方がありませんよ」

もふもふが大好きな彼女にとって、シロウとの触れ合いは至福の時間であるだろうが、僕たちにとって時間は大切だ。

「で、ですよねー！」

きっぱりと告げると、クルンは我大儀《たいぎ》を得たりとばかりに満面の笑みを浮かべた。

「こちらの依頼の手続きをお願いします」

「ホーンラビットの討伐ですね。かしこまりました！」

依頼書を渡すと、受付嬢は速やかに手続きを進めてくれた。

先日、森で採取をこなしたことや、従魔であるシロウがいるので特に問題ないと判断されたようだ。

受注が完了したので僕とシロウはカウンターから離れると、クルンが声をかけてくる。

「あ、あの、シロウちゃんに触れてもいいですか？」

こうやって面と向かって尋ねられたのは初めてだ。

僕が尋ねるような視線を向けると、シロウは元気良く頷いた。

「ワッフ！」

「いいみたいです！」

「やった！」

シロウに拒絶の意思がないことを伝えると、クルンは無邪気な笑みを浮かべて手を差し出した。

相手に悪意がないことがわかっているのでシロウがその手をはねのけることはない。

気持ちよさそうに目を細めて受け入れる。

「ふわあー！　もふもふ！　もふもふですよ！」

「あー！　私でもまだ撫でてないのに！」

クルンがシロウを撫でて喜ぶ中、我慢できなくなったのかノノアが涙目になってそんな言葉を叫んだ。

そういえば、ノノアは遠くから見つめているだけでシロウに触れたことはなかったな。ずっと触れたかったけど我慢していたのだろう。

そんな中、自分より先に後輩がシロウに触れていれば羨ましくなる。

とはいえ、ノノアの対応が終わるまで待っていれば、かなりの時間を消費することになる。

「達成報告はノノアさんのところでしますから」

「本当ですか、イツキさん⁉　絶対、絶対ですからね⁉」

可哀想なのでそんな言葉を残して歩き出すと、後ろの方からノノアの必死な声が上がった。

「シロウはもてもてだね」

なんて呟くがシロウには自覚がないのか、きょとんと首を傾げるだけであった。

●

シロウと共に身体強化で走っていくと、十分ほどで東の森へとたどり着いた。

「討伐依頼かぁ……」

異世界に転移してすぐにブルホーンを倒したので討伐が初めてというわけじゃないが、仕事として魔物の討伐を引き受けたと思うと少しだけ緊張する。

「大丈夫。今の僕には魔法だってあるし、なによりシロウがいるしね」

「ワッフ！」

僕の言葉に反応してシロウが力強く声を上げる。

広大な森の中を一人で歩いていたらもっと緊張していたかもしれないが、隣にはシロウがいる。それだけで不思議と勇気が湧いた。

シロウと共にホーンラビットを探していると、ちょいちょいとキルク薬草が視界に入った。

「ついでに採取もしておこう」

討伐依頼を受けたからといって採取をしてはいけない決まりはない。

むしろ、討伐と採取を同時でこなすことは推奨されており、現物を持っていけば依頼を達成したことにしてくれる。

時間に余裕もあるのでキルク薬草の採取もこなすことにした。

そんな風に採取と平行して捜索していると、ホーンラビットらしき個体を見つけた。

真っ白な体毛に黄色い角を生やした兎《うさぎ》が一匹。

依頼書に書いてあった特徴と一致している。間違いない、あれがホーンラビットだ。

こちらに気づいている様子はない。

「最初は僕が倒すよ」

すべての魔物を僕が倒したいなどと思い上がった考えはない。

ただ魔物との戦闘経験を積んでおきたいだけだ。

いくら魔法が扱え、魔力に自信があっても、実戦で正しく運用できなかったら意味がないからね。

そんなわけでシロウには大人しくしてもらって僕がホーンラビットの相手をすることにする。

ゆっくりと近づいていくと、ホーンラビットは長い耳をピクッと動かしてこちらを向いた。

通常の兎なら止まって凝視《ぎょうし》をするか、人間を見て逃げ出すはずだが、ホーンラビットは目つきを険しいものにして襲いかかってきた。

ホーンラビットがぐっと地面を蹴って、こちらに体当たりを仕掛けてくる。

ただの兎であればなんてことはない攻撃であるが、ホーンラビットの額《ひたい》には十五センチほどの鋭い角がある。

まともに食らってしまえば、お腹に穴が開いてしまうに違いない。

相手の攻撃特性を知っていた僕は、慌てることなくステップで回避。

空を切ったホーンラビットは地面に着地すると、跳躍《ちょうやく》して位置を調整し、再び体当たりを仕掛けてきた。

冷静に観察していた僕はまたしてもステップで回避。

跳躍こそ不規則で捉えにくいが、ブルホーンのように連続して突進を繰り出せるほどの筋力と体力はない。体当たりを仕掛けてくるタイミングでは大きなタメがあるので、そこを狙って魔法を発動。

「無衝撃球」

無属性魔法を横からぶつけると、ホーンラビットは勢いよく吹き飛んで木に叩きつけられる。絞《しぼ》り上げるような悲鳴が漏れ、ホーンラビットはくったりと動かなくなった。

「ふう、問題なく倒せた」

しっかりととどめを刺してマジックバッグに回収すると僕はホッと息を吐いた。

僕の魔法があれば、このくらいの相手ならば問題なく倒せる。

魔力量を考えれば当然のことだが、実際にちゃんと倒せると自信がつくものだ。

シロウが尻尾を使ってポンポンと僕のお尻を叩いてくれた。おそらく僕の成果を労《ねぎら》ってくれたのだろう。

「ありがとう、シロウ」

なんてことのない小さな成果でも誰かに見てもらえて、褒めてもらえるというのは嬉しいものだ。

達成感を抱いていると、奥の茂みからホーンラビットが三匹出てくる。

つぶらな瞳をしていたホーンラビットたちだが、僕たちを見るなり険しい顔つきで襲いかかってきた。

「シロウ！」

前衛を任せるべく声を上げると、シロウは意思を汲み取ってくれたのか前に出る。

突進してきたホーンラビットの一匹を尻尾で横から叩き、もう一匹は身を屈めてすれ違い様《ざま》に爪で切り裂いた。

出遅れた三匹目には僕が風魔法を正面からぶつけ、後ろにひっくり返ったところでシロウがとどめを刺した。

「さすがシロウだね」

フェンリルであるシロウがいれば、低ランクの魔物なんて文字通り一捻りだ。

これなら大勢のホーンラビットに遭遇したところで問題はない。

僕とシロウは次なるホーンラビットを探すべく、森の奥へと進むことにした。

4話　ぷにぷにを従魔に

「ふう、たくさん狩れたね」

休憩がてらにマジックバッグを確認してみると、ホーンラビットの討伐数は三十五匹となっていた。

依頼された討伐数は十五匹なので、既に目的は果たせていると言えるだろう。

ふと空を見上げれば太陽が中天《ちゅうてん》に差し掛かっている。

狩りに夢中で気づかなかったが、もうとっくに昼を過ぎているようだ。

時間の経過を自覚すると、僕の胃袋が思い出したかのように空腹を訴え出した。

「お腹が空いたし、ここで昼食にしようか」

「ワッフ！」

提案をすると、シロウが賛成とばかりに元気のいい声を上げた。

見晴らしがいい開けた場所の木陰に移動すると、僕はマジックバッグからスライムシートを取り出して広げる。

セセリアのお店で買ったアウトドア用のシートだ。スライムの皮を加工して作っているらしく、ブルーシートの代わりとして使える。

シートを広げると、シロウは真っ先に飛び込んで転がった。

特にベッドのような柔らかさやクッション性はないのだが、シートを広げられると寝転びたくなる気持ちはわかる。

僕も一旦寝転がってから昼食に必要な食材や調理器具を取り出した。

メインの食材は狩ったばかりのホーンラビットを使いたい。

昼食で使うことを見越して、既に水魔法による血抜き処理は済ませてある。

「よし、今日はホーンラビットのシチューにしよう！」

丸焼きなんかも捨てがたいが、せっかく街で食材を仕入れたので色々な具材も楽しめるシチューに決めた。

シチューを知らないシロウは首を傾げたが、僕が本格的な料理をするとわかったのか嬉しそうだ。

草の生えていない平地に移動すると、土魔法を発動して風よけを作る。

中心地に乾燥した枝葉を積み上げると、魔法で火をつけた。

魔道コンロがあれば楽なんだけど、ないものは仕方がない。

でも、あれば絶対に便利なのでお金が貯まったら買おう。

ジャガイモ、ニンジン、タマネギなどの具材を切ると、ホーンラビットのモモ肉を食べやすい大きさにカット。塩で下味をつけると、フライパンで軽く焼き色がつくまで炒めて取り出す。

鍋にバター、油を入れると、タマネギをサッと炒め、ジャガイモ、ニンジンを加え、全体に油が回るまで炒める。

一旦火を止めて薄力粉を入れ、全体を混ぜたら中火で炒める。さらに牛乳、水、固形出汁を加えて煮立たせる。

この段階までくると、牛乳の柔らかい甘みが周囲に漂い出した。

匂いにつられたシロウが鼻をひくつかせて傍にやってくる。

「ごめんね。もう少しだけ待ってね」

そのまま十五分から二十分ほど煮込むと、焼き色をつけたホーンラビットのモモ肉、茹でておいたブロッコリー、バターなどを溶かして味を調《ととの》える。

「うん、いい感じだ」

味見をすると、シロウも自分もとばかりによりかかってきたので小皿に入れて味見させてあげる。

すると、シロウは目を丸くした後、ぺろぺろと小皿を舐めた。

既に小皿の中からシチューはなくなっているのに。

シロウも気に入ってくれたことを確認した僕は、鍋の火を止めてお皿に取り分けることに。

僕は少し深めのお皿へ、シロウには食べやすいように浅めの皿へ注ぐ。

平行して焼いておいたパンを添えると、ホーンラビットのシチューの完成だ。

「よし、食べようか」

僕が声をかけると、シロウは待ちきれないとばかりにお皿に顔を突っ込んだ。

「どう？　美味しいかい？」

「ワッフ！」

試食の段階で気に入ったのはわかっていたが、それでも喜んで食べてもらえると嬉しいものだ。

ガツガツと食べるシロウを横目に僕もシチューを食べてみる。

とろっとした温かなシチューの中にはそれぞれの食材の旨みと甘みが染み出していた。

ホーンラビットのモモ肉を食べてみると、ほのかに弾力があった。

もっとも発達した部位だからだろうか余分な脂肪はなく、肉のしっかりとした旨みが感じられた。しっかりと煮込んだお陰か程よい柔らかさになっている。

「美味しい！」

兎の肉を食べたことは初めてだが、こんなにも食べやすいとは思っていなかった。

食感は鶏肉に近いけど、鶏肉とは違ったしっかりとした野生の旨みを感じる。

ジャガイモ、ニンジン、タマネギとの相性もばっちりで、しっかりと具材の一つとして馴染んでいる。

軽く炙ったパンをシチューにつけて食べると、これまた美味しい。

我ながらいいシチューを作ったものだと思う。

シチューを食べていると、シロウが空になった皿をこちらに押し出してくる。

「お代わりだね。はいはい」

お代わりをよそっていると、シロウから熱烈な視線を感じたのでホーンラビットの肉を多めに入れてあげた。

すると、シロウは嬉しそうにまたシチューを食べ始めた。

僕もお皿が空になったのでお代わりを入れようとすると、地響きのような音がした。

これには僕だけでなく、夢中になって食べていたシロウも顔を上げる。

「……今の何の音だろう？」

間近というわけでないが、音からしてそれなりに近いことは明白だ。

魔物がいるかもしれない状況では、さすがに呑気に昼食を食べることはできない。

「ちょっと見に行こうか」

様子を確認することにした僕とシロウは昼食をそのままにして、音のした方向へと近づいていく。

「あれ？　確かこの辺から音がしたはずなんだけど？」

音のした方角にやってくるもそれらしい生き物は見えない。

ただ巨木が倒れているだけである。

巨木を見る限り、ついさっき倒れたといった様子だ。

根元を確認してみると、毟《むし》り取られたような痕跡があった。

木を齧《かじ》るような生き物が齧ったのであれば理解できるが、どうにもそういった類の生き物とは違った痕跡だ。

歯なんてない生き物がそのまま齧りついたような？　どうにも形跡に違和感がある。

「ワッフ！」

シロウの声に意識を戻すと、二十メートル以上もある木がベキベキと音を立てながらこちらに倒れてくるではないか。

僕は咄嗟《とっさ》に身体強化を発動すると、強く地面を蹴って倒れてくる木の範囲から逃れた。

枝葉の折れる音が響くと、本体が地面に直撃する音が鳴った。

こんな大きな木を倒してしまうような魔物がいるのか。

視界を巡らせて周囲の情報を拾おうと試みるが、そんな魔物の姿はない。

「ワッフ！」

どうなっているのだろうと首を傾げていると、シロウが前方にある木を見据《みす》えながら声を上げた。

視線を向けると、木の根元に丸みを帯びた生き物がいる。

青っぽい色にぷにぷにとした粘体質《ねんたいしつ》の体をしているのは、前世のゲームでも有名だったスライムだ。

「スライム？」

なんでも食べ、取り込んだものをゆっくりと溶かす性質から、スライムは下水道の浄化、ゴミ処理を担っている。

人々の生活の中でかなり身近な魔物であるが、戦闘能力はかなり低いらしい。

そんなスライムが目の前で木を食べている。

粘体質な体を必死に動かしてバクバクと。

スライムってなんでも食べるって聞いたけど、あんな木を食べて美味しいのだろうか?

近づいてみると、スライムはこちらに気づいたのか振り返った。

小さな体がこちらを見上げて凝視しているのがわかる。

ブルホーンやホーンラビットのような敵意のようなものは感じない。

「………………」

ぷにぷにとした体はとても柔らかそうで触ってみたい気持ちがあるが、シロウのように仲良しのわけでもないし触れるのは憚《はばか》られた。

「ただスライムが木を食べていたのなら問題ないか」

地響きが気になっただけで、音の正体が無害なスライムだとわかれば問題はない。

踵《きびす》を返してシートの方へ戻ると、後ろからぽよんぽよんとした音が聞こえる。

振り返ると、さっきのスライムがなぜか僕たちの後を付いてきていた。

足を止めると、スライムも足を止めてジッとこちらを見上げてくる。

これには僕だけじゃなくシロウも戸惑っている。

再び歩みを進めると、スライムも当然のように付いてきた。

別にこちらに敵意を持っているわけでもないので邪険《じゃけん》にもしづらい。

どうしようかと迷っている間に僕たちはシートへと戻ってきてしまった。

他の魔物や動物が寄ってきた形跡はなく、特に荒らされてもいない。

ただシチューが少し冷めてしまったので、もう一度魔法で火をつけて鍋を温め直すことにした。

その間もスライムは興味深そうに調理道具を見つめたりと自由にしている。何が目的で付いてきたのやら。

スライムの観察をしている間にシチューが温まったので、再びお玉で皿によそった。

温め直されたシチューを前にシロウは嬉しそうに食べ始めた。

そんなシロウの傍らではスライムがジーッとシチューのお皿を見つめている。

「食べたい？」

尋ねてみると、スライムはこくこくと頷くように体を震わせた。

どうやって食べるのかわからないけど、シロウと同じように浅めの皿にシチューを入れると、スライムの前に差し出した。

すると、スライムは人間が食べるように口を開けると、バクッと一口で皿ごと呑み込んだ。

その透明な体の中にシチューが浮かぶのだろうかと好奇の視線を向けるが、そのような事象は起きなかった。一体、呑み込んだシチューはどこにいったのか謎だ。

スライムはシチューを食べると、喜びを露《あら》わにするように跳ねた。

なんとなくだがとても美味しかったことが伝わってくる。

プルプルと体を変形させる様子がかわいらしい。

「あれ？　っていうか、皿は？」

てっきり皿くらいは返してくれるかと思ったが、皿が返ってこない。

もしかして、皿まで食べてしまったのだろうか？　ついさっきまで木を食べていたので皿くらいなら平気で食べてしまいそうだ。

皿が返却されないことに戸惑っていると、スライムはずりずりと移動して鍋に近づく。

お代わりが欲しいのかなと思っていると、スライムは大きく体を変形させて鍋を丸呑《まるの》みにしてしまった。

「あー！」

「ワフン⁉」

これには僕だけでなく、お代わりを所望しようとしていたシロウまでも驚愕の声を上げた。

僕たちがあんぐりとして驚いている間にも、スライムは残りのシチューをすべて平らげてしまった。しかも、先ほどのお皿と一緒で鍋も返却されない。

「こら！　皆の分も食べちゃダメじゃないか！」

「ワッフワッフ！」

　思わず注意をすると、スライムは注意されたことを理解したのか申し訳なさそうに体をシュンとさせる。

　こうも素直な態度を見せられると、こちらとしてもこれ以上は怒ることもできない。

「まあ、悪気があってやったわけじゃないし許してあげようよ。ご飯なら僕がまたすぐに作ってあげるから」

「……ワッフ」

　シロウは大好物のご飯を奪われてややご立腹な様子だが、僕が違う料理を作ってあげると言うと機嫌を直してくれた。

「もう一度作るけど、次は皆の分も勝手に食べちゃダメだよ？」

　シュンとしていたスライムだが、そんな風に声をかけると嬉しそうに頷いた。

　幸いにしてホーンラビットの肉はまだまだある。

　ちょっと食べ過ぎたくらいで本気で怒ったりはしない。

　食いしん坊なスライムを加えて、僕たちはホーンラビット料理を楽しむのだった。

●

「はぁー、ぷにぷにが最高だ」

ホーンラビット料理を振る舞った僕は、スライムに許可をもらって撫でさせてもらっていた。

表面はつるつるとしており、突いてみると指が沈んで心地よい弾力がある。まるで水風船を触っているかのようだ。

膝の上に乗せると実に収まりが良くかわいがり甲斐《がい》があるというものだ。

一生、手で触っていたい。

「あはは、もちろんもふもふも最高だよ」

スライムを撫でていると、シロウはずいっと尻尾を差し出してくる。

スライムにばかり構わないで自分も構えということだろう。

シロウの素直な反応も愛らしい。

左手でスライムを抱えながら、右手でシロウの尻尾を優しく撫でる。

尻尾は他と違って毛質が一番滑らかだ。手で触れるとすっと抜けていく。

左手にぷにぷに、右手にもふもふ。今の僕は世界で一番幸せに違いない。

そうやってシロウとスライムと戯れていると、あっという間に太陽の光が傾いてくる。

あまり遅くなってしまうと城門が閉まってしまう。

城門が閉まってしまうと中に入るのが非常に面倒になるので早めに帰っておきたい。

速やかに調理道具やスライムシートを洗ってマジックバッグに収納すると、僕とシロウは撤収を開始する。

「僕たちはそろそろ街に戻るよ」

そう声をかけると、スライムはぽよんぽよんと体を跳ねさせてこちらを見上げる。

スライムなので喋ることはできないが、付いていきたいというような意思を感じた。

どうしよう？

思わずシロウの様子を伺ってみると、特に嫌がる様子はない。

むしろ、シロウもスライムを気に入っているのか歓迎しているような雰囲気だ。

「……君もくるかい？」

そう尋ねると、スライムはこくりと頷いた。

僕としてもかわいらしい魔物が仲間に加わることは大歓迎だ。

「せっかく仲間になったんだ。名前を付けてあげないとね」

いつまでもスライムと呼ぶのも素《そ》っ気《け》ない。

僕はスライムを持ち上げながらどのような名前がいいか考える。

スラリンっていうのも単純だしな。もう少しこの子の特徴に合った名前にしてあげたい。

このスライムの特徴といえば、食いしん坊でなんでもバクバクと食べていて……。

「そうだ！　君の名前はバクにしよう！」

なんでもバクバクと食べるのでバク。

単純かもしれないが、実に食いしん坊なこのスライムらしい名前だと思う。

僕がそう言うと、バクは嬉しそうに体を震わせた。

僕の仲間にもふもふだけでなく、ぷにぷにが加わった瞬間である。

●

夕方。冒険者ギルドに帰還すると、僕たちはホーンラビットの達成報告をする。

ギルドに入った瞬間、カウンターにいるノノアから圧力を感じた。

絶対に私のところで完了報告をしてくださいと言っているようだったので、僕は苦笑しつつ約束通りにノノアのところに向かった。

「お帰りなさいませ、イツキさん」

「ただいま戻りました。討伐したホーンラビットの角を納品します」

「相変わらず予想を遥かに越える数ですね」

マジックバッグから討伐したホーンラビットの角を提出すると、ノノアが感嘆の声を上げた。

討伐依頼数は十五匹であるが、シロウの活躍もあって二倍以上の数となっている。

「ほとんどシロウにおんぶにだっこですけど」

「イツキさんの魔力を見れば、従魔におんぶにだっこだなんて思いませんよ」

なんて謙遜《けんそん》するとノノアが苦笑しながら言った。

「他人の魔力なんてわかるのですか？」

「イッキさんの場合は漏れがあるので」

漏れということは、日ごろから無駄な魔力を放出しているということだろうか。

時間を見つけて、魔力操作を見つめ直してみよう。

なんて考えているうちにホーンラビットの討伐証明部位の確認が終わり、魔石などの追加の買い取り金額に加え、依頼の達成報酬を僕は受け取った。

ノノアがシロウへと熱烈な視線をおくる前に、僕はもう一つの用件を切り出しておく。

「あと追加の従魔登録をお願いできますか？」

「従魔登録ですか？　一体、どんな魔物を？」

「今日、森で見つけて仲良くなったスライムのバクです」

シロウの背中に乗っていたバクを持ち上げて、カウンターの上に置いた。

「スライムですか？　あ、あの、スライムは大した戦闘能力を持ち合わせていないのですが……」

「ええ、承知の上ですよ」

僕はバクに対して高い戦闘能力を求めていない。

戦闘ならシロウと僕がいるし、バクはちょっとしたゴミなども食べてくれるし、ぷにぷにを提供してくれる。何より美味しそうにご飯を食べるバクの姿は僕にとっても癒しだ。

一緒にいて楽しければそれでいい。

「はあ、イッキさんがそうおっしゃるのであれば問題はありません」

「登録試験はありますか？」

「いえ、スライムほどの低位の魔物であれば必要はありませんよ。イッキさんの言うことを聞いて、大人しくしてくれていますし」

グラントのやった試験はシロウのような明らかに高位の魔物にだけ行うもののようだ。

バクにもグラントが襲いかかるのではないかと思っていた僕は安心した。

「バクさんには首輪ではなく、従魔であることを証明するスカーフをお送りしますね。新しい街や施設に入る時はこちらを提示してください」

「わかりました」

粘体質な体をしているバクにとって首輪は無意味だからね。

僕と同じように過去にスライムを従魔にした冒険者がいたらしく、その時に色々な不便があったので今はこのように落ち着いたようだ。

「さて、面倒な手続きも終わったことですし、シロウさんをもふらせてください！」

事務処理が終わるなりノノアはカウンターを飛び出して、シロウに懇願するように言った。

あまりにも強い熱量にシロウは若干引き気味だったが、シロウはこくりと頷いた。

「きゃあー！　もふもふだ！」

許可が取れるなりノノアが黄色い声を上げて、シロウに抱き着いて全身の毛皮を撫で回す。

すっかり興奮しているノノアに対して、シロウは遠い目をしてジッとしている。

迂闊《うかつ》に大きな反応でもしようものなら、ノノアがさらに興奮するので大人しくしているのだろう。賢いな。

第三者から見ると、シロウをもふもふしている僕もあんな姿なのだろうか。

外でシロウをもふる時は、ちょっとだけ自重しようと思った瞬間だった。

ノノアが満足すると、僕たちは逃げるようにギルドを後にして宿へと戻った。

自室に入ると僕はベッドに寝転がり、シロウはソファーへと上って座り込む。

外での騒がしい時間は終わり、ゆったりとした時間が流れる。

初めての討伐依頼であったが過度な緊張や苦戦もすることなく、あっさりとこなすことができたな。

これもシロウが傍にいてくれたお陰だろう。

ホーンラビットが一気に六匹出てきた時も、僕たちは慌てることなく倒すことができた。

これなら多少はランクが上の魔物でも問題なく討伐できそうだな。

あとは今日仲間になったバクだ。

ノノアの説明を聞く限り、この世界においてスライムの評価はかなり低いようだ。

無理もない。なんでも食べる以外の特性を持っておらず、移動も早いとはいえない。

打撃には強い耐性を持っているものの、魔法などの攻撃には弱く、強力な攻撃手段も持っていない。

移動は僕の肩に乗るか、シロウの背中に乗るとして、どうにか自衛くらいはできるようにしてあげたいところだ。

ちょっと目を離した瞬間に魔物に食べられていたなんてことがあれば、トラウマになってしまう。

天井を見つめながらそんなことを考えると、シロウがベッドにやってきて袖を引っ張る。

「んん？　どうしたんだいシロウ？」

じゃれついてきたのかと思ったが、シロウが何ともいえない視線を投げていた。

視線を追いかけると、室内に置いてあるイスをバクが食べていた。

「ああ！　室内にあるものは勝手に食べちゃダメだよ！」

慌てて駆け寄ると、バクはきょとんとした顔を浮かべ、食べかけのイスを吐き出した。

しかし、既に八割が食べられており、もはやイスというよりも木片でしかない。

これは弁償だな。

従業員を呼んでうちのスライムが食べてしまったことを告げると、従業員は驚いたもの笑って許してくれた。

従魔がよく利用するだけあって、こういうことは日常茶飯事らしい。

イスの費用を払うと、従業員は苦笑いしながら去っていった。

追い出されなくて良かった。

「いいかいバク。お腹が空いたとしても身の回りのものを勝手に食べちゃいけないよ？もちろん、人間もそうだし、人間が所有している物も絶対に食べちゃいけない。僕たちと一緒に生活するならこのルールは守ってほしい」

膝をついて真剣に言い聞かせると、バクは理解したのかこくりと頷いた。

「ありがとう。お腹が空いたら僕にいつでも言ってね」

幸いにしてマジックバッグの中にはたくさんの食材があるからね。

僕は屋台で買っておいた緑牛の串肉をバクに差し出す。

すると、傍にいたシロウもちょうだいとばかりにやってきた。

すぐにお腹を空かしてしまう可愛らしい従魔たちを見て、僕はクスリと笑うのだった。

●

「シロウがまた大きくなった！」

目を覚ますと、シロウがまたしても大きくなっていた。

生物としてあり得ないほどの成長速度であるが、フェンリルとなれば早熟《そうじゅく》なのだと納得するしかない。

最初は僕でも軽々と持ち上げることができたのに、今ではすっかりと大型犬並みの重さとなっている。僕の腕力では持ち上げるには身体強化を使う必要があるだろう。

身長や体重が増えただけでなく、シロウの毛並みもより艶《つや》やかなものになり、顔つきも大人びて風格のようなものが出てきた。

今のシロウを見れば、誰もシルバーウルフだなんて勘違いしないだろうな。

「すっかり大きくなっちゃって……」

「ワフウ」

僕が感極まっていると、シロウが大袈裟《おおげさ》なとでも言うような声を漏らす。

成長したからだろうか、シロウの声が若干も低くなっている。

それすらも僕の親心に加算されて、さらに感涙することになった。

落ち着いたところで僕は改めてシロウを見つめる。

生まれたばかりの頃は小さな体だったが、今や僕と同じくらいの全長だ。

体つきもしっかりとしており華奢《きゃしゃ》なイメージを抱くことはない。

「これなら僕が背中に乗ることができるかな？」

「ワフン！」

なんて呟くと、シロウが任せてとばかりに声を上げた。

「おお、早速中庭の方で乗ってみようか！」

僕はバクを持ち上げると、シロウと共に階段を下りて中庭に移動。

ここは従魔がストレスを溜めないように作ったエリアで、一面に芝が植えられている。

ここならシロウの背中に乗って走り回るのにちょうどいいし、迷惑がかかることもない。

「じゃあ、乗るよ？」

こくりと頷くのを確認し、僕はシロウの背中へと乗る。

シロウは体を持ち上げると、ゆっくりと中庭を走り出した。

いつもとは違った視界が広がっており、いつもと違った風景が流れていく。

シロウの背中は僕が跨《また》がれるほどに細身であるが、頼りなさといったものはない。

人を乗せて走るのは初めてなせいか、やや不安定になることはあったが僕がしっかりと脚の力を強めればいい。

「すごい！　本当にシロウの背中に乗ってる！」

動物の背中に乗るのは僕の夢だったので感激だ。

馬よりも小柄な生き物の背中に乗るのは初めてだ。

前世だとさすがに大型犬とあっても人間が背中に乗ることはできない。

乗れたとしても重みで犬が潰れてしまうだろうし、満足に走るような馬力は出せないだろう。

でも、大型犬よりも何倍も身体が強いフェンリルのシロウであれば、人間が一人乗るくらいへっちゃらなようだ。

僕が喜ぶことが嬉しいのか、シロウも嬉しそうに庭の中を駆け回る。

人を乗せていることを感じさせない軽やかさだ。

僕の頭の上に移動したバクも全身で風を感じているのか、どことなく気持ちよさそうだ。

「お、ちょっと慣れてきた？」

「ワッフ！」

少し走り回っただけで人間を騎乗《きじょう》させることに慣れたのか、揺れも少なくなっていた。

すさまじい学習速度だ。

この調子なら小一時間も走り込めば、僕を乗せた状態でも安定して走ることができそうだ。

ひとしきり中庭を走り回ると、僕とバクはシロウの背中から降りた。

「ありがとう、シロウ」

「ワッフ！」

お礼を伝えると、シロウが額をこちらに擦りつけてくる。

体が大きくなっても甘えん坊なのには変わらないらしい。

「本当に大きくなったな。でも、小さかったシロウも捨てがたかった……ッ！」

こうやって大きなもふもふを思いっきり撫でるのも捨てがたいが、やはり小さなシロウを抱えてもふもふとするのも悪くなかった。

大きくなってくれたことは嬉しいが、もうちょっと小さいシロウを堪能したかった気持ちも少しだけあったな。

「ワッフ！」

なんて呟いていると、シロウの体がシュルシュルと縮んだ。

その姿はまさに卵から孵ったばかりの子狼サイズ。隣にいるバクと背丈が同じだ。

「えっ！　もしかして、体の大きさを自在に変えられるのかい⁉」

尋ねると、シロウはそうだとばかりに鳴いて体を元の大きさに戻した。

「すごいや！　これなら小さなシロウも大きなシロウも両方堪能することができる！」

フェンリルだけが成せる能力なのかはしらないが、これは実に便利だ。

街中や施設などでは小さな状態で待機し、街の外や戦闘などでは大きくなるなどの使い分けができればシロウも快適に過ごせる。そして、僕は二種類のもふもふを堪能できる。良いこと尽くしだった。

●

朝食を済ませてギルドに入ると、僕は今日の依頼を探すべく掲示板へ移動。

成長したシロウは以前よりもさらに食欲が増したので、今日の仕事は割のいい討伐依頼を受けたいところだ。

「きゃあ！　シロウちゃんが小さくなってません⁉」

依頼書を眺めていると、すぐ傍を通りかかったノノアが黄色い声を上げた。

「ああ、どうやら成長して体を縮められるようになったみたいです」

「か、かわいい！　も、持ち上げてもいいですか⁉　きゃー！」

シロウに許可を取るよりも前に持ち上げていると突っ込むが、すっかり興奮しているノノアの耳に入ることはない。

ノノアがシロウを持ち上げると、まるでぬいぐるみを抱えているようだ。

そのかわいさに思わず僕もシロウの頭を撫でてしまう。

ノノアはすっかりシロウに夢中なので改めて僕は依頼書を眺める。

「あっ、そういえばイツキさんにお願いしたい依頼があって紹介にきました」

シロウを抱えているノノアが思い出したかのような口調で言った。

「おすすめの依頼ですか？」

「こちらにある討伐依頼です」

ノノアの腕は既にシロウでふさがっているが、代わりにカウンターには一枚の依頼書が置かれていた。そういう時は依頼書を手渡すべきだが、シロウがかわい過ぎるので下ろしたくないらしい。

仕方なくカウンターに置かれている依頼書を手にする。

「ゴブリンの討伐ですか？」

「はい。つい最近、東の森にゴブリンの巣ができてしまったようで、これを早急に駆除してほしいんです」

ゴブリンというのはファンタジーゲームなどでもお馴染みの緑色の肌をした小鬼の魔物。

単体としての戦闘能力は低いが、ずる賢く、集団戦闘が得意のようだ。

「ゴブリンの討伐にしては報酬が高いですね」

ゴブリンの討伐依頼は何度も見たことがあるが、ノノアが持ってきた依頼書の方が二倍ほど報酬がいい。

「ゴブリンはとても繁殖力《はんしょくりょく》が強く、放置しておくとより強力な上位種を誕生させてしまうことがあるので、ギルドとしては速やかに駆除していただきたいのです」

低ランクの魔物とはいえ数が増えると相当に厄介らしく、ギルド側としても早急に対応したいための報酬のようだ。

こういう緊急時にお金を出し渋ったらロクなことにならないことを僕は前世で経験しているので出し渋りをしなかった冒険者ギルドへの信頼が一つ上がった。

「いかがでしょう？　本来であれば登録して間もないFランクの方に頼む依頼ではないのですが、イツキさんとシロウさんの実力であれば問題ないと判断したのですが……」

「わかりました。この依頼を受けましょう」

「ありがとうございます。それでは受注の手続きを進めますね」

ホーンラビットの討伐依頼では少し物足りず、もう少し報酬の高い依頼を探していたのでノノアの紹介は渡りに船だった。

達成報酬だけで銀貨三十枚を貰えることだし、これが成功すればしばらくは食費に困ることはなさそうだ。

「……あの、そろそろうちのシロウを返してもらえますか？」

受注の手続きを終えて出発する前に僕が言うと、ノノアは酷く残念そうな顔でシロウを渡してくれた。

僕が言わなかったらずっと抱えているつもりだっただろうな。

街を出ると、シロウはしゅるしゅると体を大きくさせた。

「よし、東の森まで一気に行こうか」

僕とバクが背中に乗っかると、シロウは元気な声を上げて平原を駆け出した。

●

シロウの背中に乗って移動すると、僕たちは十分もしないうちに東の森にたどり着いた。

「ありがとう。すごく快適だったよ」

「ワッフ！」

シロウが思いっきり走った時よりもスピードは控えめだったが、背中に乗っている僕とバクを慮《おもんぱか》って揺れないようにしてくれるのがすごくわかった。

これだけのスピードを出しつつ、僕とバクに気を遣えるなんて本当にすごいや。

これならシロウの背中に乗って、僕が魔法を放つといった戦闘もできそうだ。

シロウの背中から降りると、僕は森の中を探索する。

キルク薬草の群生地や、ホーンラビットと遭遇した地点を越えていくと、シロウの耳がピクリと動いた。

「ワッフ！」

どうやら何かの気配をとらえたらしい。

気配を殺しながらシロウに付いていくと、前方に緑色の体表をした小鬼が三体歩いていた。

百二十センチ程度の身長にひょろりと伸びた細長い手には棍棒《こんぼう》が握られており、腰には獣の毛皮を巻いていた。

まさに僕が想像していたゴブリンそのものの姿だ。相手はまだこちらに気づいていない。

「ワフウ……」

スンスンと鼻を鳴らしていたシロウがげんなりとした声を上げた。

「ちょっと匂うね」

離れた場所にいても嫌な臭いが漂ってくる。その発生源は三体のゴブリンたちだ。

おそらくロクに体を洗っていないのだろう。

僕の何倍も嗅覚が鋭いシロウは、僕以上にこの匂いを感じ取ってしまうのだろうな。

ここにゴブリンがいるということは、恐らくこの先にゴブリンの巣があるのだろう。

このゴブリンたちを追いかけて巣を探り当てるという案もあるが、シロウの嗅覚があればゴブリンの巣を見つけ出すのは難しいことではない。

「僕が倒すよ」

よって、このゴブリンたちはここで倒すことにする。

既に三体のゴブリンは僕の射程範囲に入っている。

こちらに気づいて接近してくる様子もないので気楽だ。

僕は静かに魔力を練り上げると三本の火槍を生成し、ゴブリンたちへと射出した。

魔法が空を切る音にゴブリンたちが体を震わせるが、できたのはそれだけだ。

僕の射出した火槍はゴブリンの頭部に突き刺さり、そのまま勢いよく発火。

断末魔の声が上がったのは数秒のことで、ゴブリンたちはすぐに炎に呑まれて動かなくなった。

魔法を解除して火を鎮火させると、真っ黒になったゴブリンの遺体だけが残る。

燃やし尽くされてもなおゴブリンは臭く、シロウは眉根を寄せていた。

ゴブリンの素材は加工できるものがなく、肉も食用としての価値はない。魔石を宿してはいるが他の魔物に比べると小さいので大した売り値にもならない。そんな理由もあってゴブリンは冒険者からも嫌われ者だ。

討伐証明である耳を切り取ると、マジックバッグへと放り込んだ。

残ったものはこのまま燃やしてしまおうかと考えていると、バクがずりずりとゴブリンの亡骸《なきがら》へと近づいた。

そして、これ食べていい？　とばかりにこちらを見上げてくる。

「食べていいよ」

どうせ燃やすことしかできないので、少しでもバクの空腹が満たせるのであれば食べてもらっても構わない。

許可を出すと、バクは体を大きく変形させて三体のゴブリンを呑み込んだ。

僕の料理を食べている時と違ってあまり味わっている様子はない。バクバク食べてないし。

どちらかというと必要だから摂取したといった感じだ。

「ゴブリンって美味しいの？」

バクが体をくねらせる。可もなく不可もなくといった模様。

「僕の料理とどっちが美味しい？」

気になって尋ねてみると、バクがすぐに僕の方へと寄ってきた。

どうやら魔物の死骸よりも僕の料理の方が美味しいらしい。

良かった。自分の作った料理よりもゴブリンの方が美味しいなどと言われたら、さすがの僕もショックを受けるところだった。

なんでも食べてしまうスライムのバクだが、ちゃんと食の好みといったものがあるようで安心した。

●

シロウにゴブリンの匂いを辿ってもらい、巡回しているゴブリンを六体ほど倒して進んでいくと洞窟を見つけた。入口には二体のゴブリンがやる気なさそうに立っている。

「……ワフウ」

シロウの顔のしかめ具合から洞窟の中に大量のゴブリンがいるのだろう。

数体であれだけの悪臭を放つのだから、それが大量にともなれば臭さも相当だろうな。

「早く終わらせちゃおう」

「ワッフ」

僕の意見にシロウも異論はないとばかりに頷いた。

僕は木陰から火槍を放つと、入口に立っていた二体のゴブリンを貫いた。

倒れ伏した二体のゴブリンを横目に僕とシロウは洞窟の中へと突入。

洞窟の中は薄暗いので僕は光魔法を発動し、光球を浮かべることで視界を確保。

通路内は少し狭いがシロウは体の大きさを変えることができるし、僕も小柄なので遠慮なく突き進むことができる。

通路内を突き進むと、前方から二体のゴブリンがやってきた。

さすがに通路内とあって敵もこちらの存在に気づいたらしい。

ゴブリンが必死に濁声《だみごえ》を上げた。仲間に僕たちの存在を知らせるつもりなのだろう。

僕は火槍を放って一体を仕留める。もう一体はシロウが素早く風の刃を放ったことで地面に倒れた。

迅速に処理をしたつもりだったが、どうやらさっきのゴブリンの声は仲間たちにしっかりと聞こえてしまったようだ。あちこちで濁声が上がって動き回る気配がする。

通路にはゴブリンだけが通ることのできる小さな横穴があり、ここで待機していては挟《はさ》み打ちにされるかもしれない。

待機しているよりも前に進んだ方がいいと判断し、僕たちは通路を進んでいく。

すると、行く手を塞ぐようにゴブリンの集団が現れた。

その手には弓が握られており、ゴブリンたちが一斉に矢を構える。

僕は飛来してくるであろう矢を散らすべく、急いで風魔法をくみ上げようとするが、
僕の肩に乗っていたバクが急に前に飛び出した。

「バク⁉」

ゴブリンたちがこちらに矢を射かける中、バクはその体を膜《まく》のように広く広げて矢を受け止めた——いや、正確には全身を使って矢を取り込んでいるといった方が正しいか。

バクがなんでも食べるのは知っていたが、そんな風に敵の矢を取り込むことができるなんて知らなかった。

矢が無効化されて狼狽《うろた》えるゴブリンたちの前にバクはぽよんと着地。

バクが大きく口を開けたかと思うと、バクの口から先ほど取り込んだ大量の矢が一斉に吐き出された。

至近距離で放たれた大量の矢に、ゴブリンたちはなすすべもなく倒れ伏《ふ》した。

生き残っているゴブリンはいない。

「すごいじゃないか、バク！　そんなことができるんだ！」

まさかの相手の飛び道具を無効化するだけでなく、そのまま吐き出すことで攻撃にも転用させることができるなんて思ってもいなかった。

ノノアに戦闘能力が低いと言われたので、バクには戦闘面であまり期待していなかっただけに衝撃だ。

バクを持ち上げて素直に褒めると、照れくさそうに体をぷるぷると揺らした。

相手の飛び道具をこんな風に無効化してくれるだけで、僕とシロウにとっては大助かりだ。

シロウだけじゃなくバクまで戦闘で活躍できるとなれば、これからの戦いはもっと楽になりそうだ。

●

シロウ、バクと共に通路を突き進んでいくと、僕たちは大広間にたどり着いた。

中にはたくさんのゴブリンがいるのだが、その中で気になったのは明らかに見た目の異なる二体のゴブリンだ。

一体はゴブリンよりも少し大きい程度であるが、動物の牙を繋ぎ合わせた悪趣味な首飾りをしており、ローブを纏って杖を手にしていた。まるで、魔法使いのような格好だ。

もう一体はゴブリンをそのまま大きくしたような見た目であるが筋肉が異様に発達しており、手には石を加工して作った大剣を手にしている。戦士タイプだろう。

「ただのゴブリンじゃないな」

ゴブリンは繁殖を繰り返す中で上位種が誕生することがあるとノノアが言っていた。

きっとこの二体はゴブリンの上位種だろうな。

これまでのゴブリンとは強さが段違いなのだろうが、シロウとバクが一緒なら問題ないと判断する。

「ギイッ！」

　ゴブリンたちが濁声を上げて一斉にやってくる。

「やるぞ！　シロウ、バク！」

「ワッフ！」

　シロウは前に出ると、ゴブリンたちに襲いかかった。

　鋭い爪が振るわれ、ゴブリンの首が飛んでいく。

　棍棒を叩きつけようとするゴブリンたちだが、俊敏《しゅんびん》な動きをしているシロウを捉えることはできない。

「火球」

　素早いシロウを何とか捕まえようと四方からゴブリンがやってくるが、そんなことは僕がさせない。左右から挟みこもうとするゴブリンに僕は魔法をぶつける。

　俺がやるべきことはシロウが前で存分に暴れてもらえるようにすること。

　シロウの動きを阻害しようとする敵を倒すことに集中する。

　傍にいるバクもゴブリンに近づいてバクッと食べている。

　気づかれないうちにこっそりと近づいて、一口で食べてしまう光景はまるで暗殺者のようだ。

　案外、バクが一番恐ろしいのかもしれない。

　シロウが挟撃《きょうげき》されないように僕とバクでゴブリンを排除していると、ローブを纏ったゴブリンが杖から火球を射出した。

「シロウ！」

僕が声を上げると、ゴブリンの相手をしていたシロウが慌てて後退する。

その場に残ったゴブリンは仲間の魔法によってその身を焼かれた。

仲間ごとシロウを倒そうとするなんて信じられない。

僕とシロウが睨《にら》みつけると、魔法ゴブリンは醜悪《しゅうあく》な笑みを浮かべながら杖《つえ》を掲《かか》げた。

ゴブリンの周囲で五つの火球が宙に浮かぶ。

僕が火球を使っていたことから敢えて火球で打ち負かしたいと考えているのだろうか。

性格が悪いとしか言えないな。でも、僕に魔法勝負を挑むとはいい度胸だ。

魔法の腕はまだまだ未熟だが、純粋な魔力量には自信がある。

僕は魔力を練り上げると、魔法ゴブリンと同じように宙に火球を浮かべた。

ただし、その数はゴブリンの六倍だ。

「ギイッ⁉」

火球の数から彼我《ひが》の実力差を感じ取ったのか魔法ゴブリンが表情に驚愕《きょうがく》と焦《あせ》りを浮かべた。

僕が一斉に火球を射出すると、ゴブリンが苦し紛《まぎ》れにも五つの火球で迎え撃つ。

しかし、六倍以上もの差を埋めることはできない。

僕の魔法が一瞬にして相手の魔法を蹂躙《じゅうりん》する。

純粋に数で優《まさ》っているだけでなく、火球に込められている魔力の質も僕の方が上みたいだ。

五つの火球は呆気なく消失し、背中を向けて逃げ出そうとする魔法ゴブリンを僕の火球が呑み込んだ。

戦法も汚ければ、最期《さいご》も汚いな。

僕が魔法ゴブリンを倒し終わると、大広間ではシロウと大ゴブリンが戦っていた。

自身の身長ほどある大剣を振り回すが、シロウには一撃たりとも掠ることはない。

反対にシロウが爪を振るえば、大ゴブリンの体中に傷が浮かんでいき、やがて大剣を握っていた右腕が跳ね飛ばされた。

上位種とはいえ、やはり伝説の魔物であるフェンリルには敵わないようだ。

相手も悟っているが、自身よりもスピードの速いシロウから逃げることは不可能。

大ゴブリンは活路を見出そうと黄色い瞳をギョロギョロと動かす。

その中でのんびりと歩いているバクに目をつけた。

スライムならば容易く屠《ほふ》る、あるいは捕まえて人質にできると考えたのだろう。

しかし、それは大きな間違いだ。

大ゴブリンは残っていた左腕を伸ばしてバクを捕まえようとする。

接近に気づいたバクは振り返ると、そのまま大きく口を開けてバクンッと大ゴブリンの左腕を食べた。

「グガアアアッ⁉」

左腕までも失った大ゴブリンが悲鳴を上げる。

その顔を見ると、一体何が起こっているのか本人もわかっていないようだった。

バクを見ると、残りも食べていい？　と伺うような視線を向けてきている。

どうやらまだ食べたりないようだ。

さすがに全部食べられてしまうと、ギルドに討伐したことを証明することができない。

「魔石と耳だけを残してくれるなら食べていいよ」

バクはわかったとばかりに頷くと、体を変形させて大ゴブリンを吞み込んだ。

それからもぐもぐと咀嚼《そしゃく》するかのように体を揺らすと、バクは大きな魔石と耳だけをぺっと吐き出してくれた。

「ありがとう」

バクの吐き出してくれたものをマジックバッグに回収する。

どうやらこの大ゴブリンはハイゴブリンという上位種のようだ。

僕が倒した魔法ゴブリンは、マジックゴブリンというらしい。

どちらもFランクの冒険者が対応できる魔物ではないらしいが、うちにはシロウとバクがいるので多少のランク差は問題ないな。

残った遺体は火魔法で焼却しておく。

これらの素材があれば、ギルド側への報告に困ることはないだろう。

それにしても、バクは本当にただのスライムなのだろうか？

相手は上位種のゴブリンだ。スライムからすると、明らかに格上。

ただのスライムが敵う相手ではない。

なんとなく思っていたけど、バクは普通のスライムじゃない気がする。

とはいえ、僕だけでは判断ができないし、ギルドに戻ったらグラントにでも聞いてみることにしよう。

「……クオオオン」

なんてことを考えていると、シロウが妙な声を上げた。

振り返ると、シロウが鼻をピスピスと動かして顔をしかめていた。

「とりあえず、洞窟を出ようか」

戦いに夢中で嗅覚が麻痺《まひ》していたが、やっぱりこの洞窟は臭い。

僕がそう言うと、シロウも異論はないとばかりに出口に向かって歩き出した。

洞窟の外に出ると、明るい陽射しが僕たちを出迎えてくれる。

薄暗い洞窟にすっかりと視界が慣れていたので、太陽の光がとても眩しい。

「……なんだか洞窟の外に出ても臭い気がする」

服を嗅いでみると、先ほどの嫌な臭いが染みついているような気がした。

これは街に戻る前に着替えるか、服を洗ってしまった方がいいかもしれない。

ふとシロウを見れば、白い美しい体毛がゴブリンの血液に塗れてしまっている。

その血液すらも臭いのか、シロウは自身の体毛に鼻を近づけてげんなりとしていた。

「街に戻る前に少し身体を洗おうか」

「ワッフ！」

シロウは賛成とばかりに吠えると、軽やかな動きで前に走り出した。

「どこに行くんだい？」

「ワッフ！　ワッフ！」

尋ねると、シロウは付いてきてとでも言うように前に進む。

もしかしたら、この近くに川でもあるのかもしれない。

僕はバクを抱えると、シロウの後を付いていく。

五分ほど追いかけると、僕たちは川へとたどり着いた。

鬱蒼とした森の中にある清流。

石には苔が繁茂《はんも》しており、透明な水が絶え間なく流れ続けていた。

「わあ、森にこんな綺麗な川があったのか……」

思わぬ光景に僕は思わず感嘆の声を漏らした。

川の周囲は静かで魔物の気配はない。

上流の方で鹿などの草食動物が水を飲んでいる様子が見えていた。

青々とした枝葉が日光を程よく遮ってくれているお陰で日向《ひなた》よりも体感的に三度くらい涼しく感じられた。

川の水を瓶《びん》ですくってマジックバッグに収納して鑑定してみる。

「……うん、綺麗な水だ」

ここの水は上流にある岩場でろ過されているお陰か、とても綺麗な水質をしているようだ。

シロウも直感的にそのことがわかったのか、水面に鼻先を突っ込んで水を飲んでいた。

僕も手の平で水をすくって飲む。

「おいしい」

冷たい水が喉《のど》の奥へと抜けていくのを感じる。

一杯だけでなく、続けて二杯、三杯と喉を潤す。

ゴブリンたちと戦うのに夢中で一度も水分補給をしていなかったな。

思っていた以上に僕の身体は水分を欲していたようだ。

水魔法で作り出した無味無臭な水とは違う。

その土地に含まれている成分などで微妙に香りなども変化するのかもしれない。

喉を潤すとぱしゃりぱしゃりと顔を洗う。

汗や洞窟内に滞留していた砂埃などが綺麗に落ちてとてもスッキリした。

続けて上着やシャツなどの衣服を脱ぐと、水で軽く洗ってから木の枝にひっかけておいた。

これで嫌な臭いも少しはマシになるだろう。

本格的に洗うのは宿でするとして、マジックバッグには予備に同じ服を用意しているので匂いが取れなければ、そちらを着ればいいか。

僕が洗濯を終えてホッとしていると、シロウが川の中へ飛び込んだ。

勢いが少し強いせいか僕のところまで水がはねる。

「わっ、冷たいよ。シロウ」

なんて言うが、シロウはすっかりと冷たい水の虜《とりこ》なのか気持ちよさそうな顔をしていた。

水の中を進んでいくとシロウの体毛に付着していた汚れが落ちていく。

それでも体毛から完全に汚れが落ちることはない。

「おいで。汚れを落としてあげるよ」

シロウがこちらに寄ってきたので僕はタオルでシロウの体毛に付着した汚れを丁寧に落としてあげる。

緑色の血液がドンドンと流れて、シロウの真っ白な体毛が露わになる。

やっぱり、シロウの毛並みはこうじゃないとね。

「よし、綺麗になったよ」

本来の輝きを取り戻したシロウの毛並みを見ると、不思議と達成感に満ち溢れた。

ポンとお腹を叩いて放流しようとすると、シロウがくいと僕のズボンを引っ張ってくる。

これは僕も一緒に浸かれということだろうか？

「わかったわかった。僕も入るから」

足をつける程度にしようかと思っていたが、シロウが望むなら一緒に入ることにしよう。

ズボンやパンツも濡れてしまうが、予備のものがあるので問題はない。

「バクも一緒に入ろう？」

水面をジッと見つめていたバクに声をかける。

すると、バクはきょとんとした顔でこちらを見つめ返してきた。

もしかして、バクは水の中に入るのが初めてなのだろうか。

だとしたら水に入るのが不安かもしれないので僕はバクを持ち上げ、一緒に川の中に入ることにした。

水深の浅いところでゆっくりと腰を下ろすと、お腹の辺りまでが水に浸ることになった。

「はぁー……気持ちいい」

水の冷たさに身体が少しびっくりしたが、徐々にその水温に慣れたのか心地よい温度だと感じられるようになった。

「バクはどうだい？」

腕に抱えているバクの顔を覗き込んでみると、とてもリラックスしたような顔になっていた。どうやらバクも水を気に入ったようだ。

僕とバクがリラックスしていると、シロウも傍にやってきて横になった。

全身で川の水流を感じているのだろう。気持ちよさそうに目を細めている。

シロウの背中を撫でていると、腕の中にいたバクがもぞもぞと動く気配があった。

水に慣れて、自分で浸かりたくなったのだろう。

ゆっくりと腕を解放すると、バクはぷかりと水に浮かんだ。

まるで、水風船のようである。

心地よさそうにしているシロウとバクを見て、僕も身体を深く沈ませる。

仰向けになると全身が水に包まれて、枝葉とその隙間から透き通った空が見えた。

前世ではこんな風に川に遊びにいくなんてことはできなかったので、シロウやバクと一緒に来ることができて本当に嬉しいな。改めて健康な肉体を与えて、転移させてくれた神には感謝だ。

「あれ？　バクがいない……」

程なくして上体を起こすと、さっきまですぐ傍にいたバクがいなくなっていることに気づいた。

シロウもバクがいなくなっていることに今気づいたようでハッとしたように顔を上げた。

慌てて周囲を見渡すと、少し下流の岩にバクはひっかかっていた。

「バク！」

僕が声を上げるが、バクは水流に負けて流されてしまった。

スライムの川流れだ。

僕たちのいる場所の水流が緩《ゆる》やかではあるが、下流の方はさらに水流が強くなっている。

ここで捕まえておかないとバクを助けるのが困難になる。

僕が声を上げるまでもなく、シロウは素早く駆け出した。

下流へと先回りをすると、流されているバクを咥えて見事に回収。

シロウは岩から岩へと跳躍して、僕のいる上流へと戻ってきた。

「ありがとう、シロウ」

「ワッフ！」

シロウがいなかったらバクは下流にいってしまい、さらに流されることになっただろう。

「ごめんね。僕たちが目を離しちゃったせいで」

今のがトラウマになっていないか心配だったが、バクにまったくそのような様子はなく喜々として川に浸かり始めた。

とはいえ、また流されてしまってはこちらも驚いてしまうので、バクの周りに石を積み上げて流れてしまわないようにバリケードを作ることにした。

うん、これなら流されることもないし安心だ。

満足げな顔で水の上をぷかぷかと浮かぶバクを、僕とシロウは微笑ましく眺めるのだった。

5話　エイワスの塩焼き

岩に腰かけて読書をしていると、水に浸かっていたシロウがすくっと起き上がった。

「ワフゥ……」

その悲しげな声音とお腹から聞こえる音からお腹が空いたのだろう。

「そうだね。そろそろご飯にしようか」

意識が現実に戻ってくると、僕も空腹だということに気づいた。

ご飯というキーワードに反応して、水面に浮いていたバクもこちらを振り返る。

皆が空腹のようだ。

「今日は何を食べようかな」

などと考えていると、近くの水面でパシャリと跳ねた。

ふと視線を向けると、川の中腹の辺りに魚の群れが見えた。

さっきまで小さな魚しか見かけなかったので上流から下流へと群れが降りてきたのだろうか？　それなりの大きさをした川魚の影がたくさん見える。

「せっかく川に来たんだし、川魚を食べようか！」

シロウが肉好きということや、レイルズの近辺には海がないこともあって魚介類とは無縁の生活だった。久しぶりに魚が食べたい。

シロウやバクも異論はないようだったので今日の昼食は川魚に決定だ。

僕はマジックバッグから釣り竿を取り出した。

こんなこともあろうかとセセリア商会で買っておいたのだ。

竿を伸ばし、川魚用の仕掛けをくくりつけると、針の先に餌をつけた。

これで準備完了だ。

僕は竿を振ると、魚の群れの近くへと針を垂らした。

釣りをするのは随分《ずいぶん》と久しぶりだな。幼少期の頃に少しやったくらいだっけ。

ちなみに腕に自信はないし、餌が合っているかも不明だ。

釣れなかった時の最終手段は魔法で捕まえることだが、それはちょっと負けた気分になるのでできれば釣れてくれると嬉しいな。

竿をクンクンと動かしながらジーッとしていると、浮きが深く沈んだ。

竿へと伝わる確かな感触。それが当たりだと気付いた僕は、すぐに竿を持ち上げた。

水面から上がった針の先には魚がかかっていた。

「やった！　釣れた！」

全長十五センチくらいだろうか。結構な大きさだ。

銀色の体表に淡い翡翠色のラインが入っていてとても綺麗だ。

陽光に反射してキラリと輝いている。

とりあえず、食べられる川魚なのか確かめるためにマジックバッグに収納してみる。


『エイワス』

源流から渓流に生息していることが多く、ほとんど水のない最上流域でも生息できるたくましさを持つ。群れで行動することが多く、食性は非常に獰猛でなんでも食べる。食用の川魚。淡泊な味わいながらも甘みがある。


マジックバッグの鑑定機能を見てみると、問題なく食べられるようだ。

「よし、ドンドン釣っていこう！」

食べられるのであれば迷うことはない。あとは釣りまくるだけだ。

なにせうちには大喰らいの魔物が二匹もいる。

ちょっとやそっとの数ではとても足りないからね。

餌を付け直すと、僕は再び川へと針を垂らす。

すると、またすぐに竿が突かれるような感触がきた。

「また釣れた！」

しっかり食いついたタイミングで竿を上げるとエイワスが釣れた。

すぐに絞め、餌を付け直して針を垂らすと、またすぐに竿が揺れる。

非常に獰猛な食性をしていることや釣り人に慣れていないのかとても警戒《けいかい》が低いようだ。

針を垂らす度にエイワスが引っ掛かる。まさに入れ食い状態だった。

絞めていると水の音がし、僕の傍に五匹のエイワスが飛んできた。

「わっ」

驚いて視線を向けると、シロウが真剣な顔で水面を見つめていた。

シロウが水面を叩くと、舞い上がったエイワスがこちらに飛んでくる。

なるほど。熊のような捕まえ方だ。

シロウの狩猟《しゅりょう》能力に感心していると、バクがぽよんぽよんと体を跳ねさせてやってきた。

見て見てと言わんばかりのバクの体内には三匹ほどのエイワスが取り込まれている。

「すごい捕まえ方だね」

粘体質な自身の体を生かしたスライムならではの捕まえ方と言えるだろう。

礼を伝えると、バクは口からエイワスを吐き出した。

「うん、これだけあれば十分かな」

シロウとバクが協力してくれたお陰で二十四匹以上のエイワスが手に入った。

これだけの数があれば、シロウとバクのお腹をある程度満たすことはできるだろう。

そんなわけで手に入ったエイワスの下処理だ。

頭にナイフを刺して絞めると、お腹を開いて内臓をすべて取り除く。

背中やお腹などの血合を水で洗い流すと、マジックバッグから取り出した串を刺していく。

エイワスの体にぬめりがあるせいか滑るし、そもそも串を突き刺すのが難しい。

動画で見たキャンパーや、職人などは簡単そうにやっていたのだが実際にやってみるとスムーズにいかないものだ。

それでも何本も刺していくと、なんとなくコツがつかめたのかスムーズにできるようになった。

「焚火を作っておいてもらえる？」

僕が下処理をしている間、シロウとバクがもどかしそうにうろついていたので火の準備をお願いする。

すると、シロウが周囲の石をどけて整地をしだし、バクが乾燥した枝葉などを集め始める。

そんな二匹を横目に僕はせっせと串打ち。

二十匹ものエイワスの串打ち作業が終わると飾り塩だ。

少し荒めの塩をヒレに塗っていくと、次は粒子の細かい塩をまぶしていく。

この塩加減がエイワスの塩焼きの味を左右するといっても過言ではないだろう。

塩が振り終わると、あとは焼いていくだけだ。

顔を上げると、傍では立派な焚火が出来上がっていた。

「お、焚火ができてるね。ありがとう」

僕は火を囲うようにエイワスの串を地面に刺した。

「あとはじっくりと焼き上げるだけだよ」

ここからは水分が抜けるまで焼くだけだ。

水の流れる音や、遠くから響いてくる野鳥の声、パチパチと枝が爆ぜる音をBGMにゆったりと過ごす。

少し前までせかせかとした生活をしていただけに、こんなゆったりとした時間が尊いものに思える。

焚火なので時折火が強くなったりするので串の位置を調整しながら焼いていく。

それ以外に特にやることはない。読書や道具のチェックなどと暇を潰せるものはあるが、敢えてそれらはしない。

エイワスにじっくりと火が通る様子を眺めながら、この暇な時間を楽しむ。

これが今のもっとも贅沢な過ごし方だと思うから。

時間が経過するにつれてエイワスから水分が抜けていく。

体内にある脂が火へと垂れて、ジュウウッと音を立てた。

川魚を焼いている時の香ばしい匂いが周囲に漂っている。

いい匂いだ。串を操作してエイワスの裏面を焼いていく。

早く食べたいのかシロウとバクが物欲しそうな視線を向けてくる。

気持ちは非常にわかるが、エイワスの塩焼きを美味しく食べるにはもう少しの我慢が必要だ。

「もうちょっとだけ我慢してね」

そう言うと、シロウとバクが物悲しそうな顔になる。

可哀想《かわいそう》なのですぐに手渡したくなるが、それじゃあ美味しい塩焼きは食べられないからね。

シロウとバクを宥《なだ》めつつ、しばらく焼き続ける。

「よし、焼き上がった！　これなら食べていいよ！」

しっかりと焼き上がったエイワスを差し出すと、シロウとバクはすぐにかぶりついた。

「どう？　美味しい？」

「ワッフ！　ワッフ！」

シロウは魚を食べるのは初めてだったが、エイワスの塩焼きをとても気に入ったらしい。

夢中になってエイワスを食べている。

バクも口を開けてバクバクと食べていた。

魔物を食べる時とは違って、少しずつ味わうように。

気に入ってくれたようで良かった。

シロウとバクが食べている姿を見て安心すると、僕もエイワスの塩焼きに齧りつく。

皮の表面はパリッとしており、中の身はふっくらとしていて柔らかい。

淡泊ながらもほんのりとした甘みがあり、塩との相性が抜群だ。

「うん、美味しい」

シロウとバクと遊んで汗をかいたからだろうか。まぶした塩がとても美味しく感じられ、身体に染みわたるようだった。

頭を食べると少し硬く、独特な苦みがあるがこれはこれでとても美味しい。

全体的に骨は少なく、小さい上に柔らかいので丸ごと食べることができるのも最高だ。

ああ、日本酒が欲しくなる。

もし、手に入ればお供にしたいし、いつかは骨酒《こつざけ》なんてものも作ってみたいものだ。

「ワッフ！」

「はいはい。お代わりだね」

僕が半分を食べるまでにシロウとバクは食べ終えたので、しっかりと焼き上がっている追加のエイワスを渡してあげる。

「まだまだあるからそんなに焦らなくていいよ」

競うようなスピードで食べるシロウとバクの頭を撫でて、僕は頬を緩めた。

美味しそうに食べているシロウとバクの姿を見ると、こっちも嬉しくなる。

外で誰かと一緒に美味しいものを食べられるって幸せだ。

●

川遊びとエイワスの塩焼きを堪能した僕らは、レイルズの冒険者ギルドに戻った。

東の森の奥にある洞窟に巣が形成されており、それを討伐したことを報告する。

「こ、これってハイゴブリンにマジックゴブリンじゃないですか⁉」

「やっぱりゴブリンの上位種だったんですね」

マジックバッグに素材を入れた瞬間に鑑定機能が発動し、ハイゴブリンとマジックゴブリンという上位種だということはわかっていたので驚くことはない。

だけど、そのことは秘密にしているので一応は驚くフリをしておく。

「ということは、かなりの数のゴブリンがいたのでは？」

「多分、四十四くらいはいたと思います」

マジックバッグからゴブリンの討伐証明である耳が詰まった革袋を取り出して提出する。

すると、ノノアは丁寧にそれらを確認。

「四十四分の討伐証明を確認しました」

「臭いです」

「そうですよね」

　仕事ということだけあって、表情に出さないようにしているらしい。プロだ。

　ちなみにうちのシロウはマジックバッグから取り出した瞬間に僕の傍から離れて顔をしかめていた。臭いもんね。ゴブリンの耳。

「ハイゴブリンにマジックゴブリンがいたとなると、とてもFランクの依頼とはいえないですね。こちらから勧めた依頼がこのようなものになってしまい申し訳ありません」

　ぺこりと頭を深く下げるノノア。

「いえ、僕らとしては上位種の分の上乗せをいただければ問題ないです」

「ありがとうございます。実はこういった不測の事態も考慮して、イッキさんにお声がけしたんですよね」

　頭を上げたノノアがけろっとした表情で言った。

「ちょっとちょっと」

「それだけイッキさんたちの実力を評価しているってことなので」

　こっちにはフェンリルであるシロウだっているしな。それも加味した上での采配だったのだろう。受付嬢をしているだけあっていい性格をしていると思う。

「報酬の上乗せについて支部長と相談してきますので少々お待ちください」

　ノノアはそんな風に呟くと、神妙な顔をして奥へと引っ込んでいった。

　ハイゴブリンの討伐ランクはDであり、マジックゴブリンはE、そこに加えてゴブリンが四十匹もいたらFで納まることはないだろう。

一体、どれだけの報酬が貰えるだろうなと考えて待っていると、奥から支部長であるグラントが出てきた。

「報告を聞いた。ギルドとして今回の依頼はCランク相当であったと判断。それを無事に成し遂げたイツキの活躍を評価し、冒険者ランクをFからEにアップ。さらに報酬を金貨十五枚にアップでどうだ？」

「え？　ランクアップだけじゃなく金貨十五枚もいいんですか⁉」

「今回の依頼は緊急性も高かったからな。それくらいは妥当だ」

「ありがとうございます。それで問題ありません」

「では、それで手続きを進めてくれ」

「わかりました」

僕が頷くと、グラントが奥に引っ込もうとしたので呼び止める。

「あ、グラントさん！　少しお聞きしたいことがあるのですがいいですか？」

「なんだ？」

「昨日、新しくバクを従魔にしたんです」

「ああ、報告にあったな。確かスライムだったか……」

僕の肩に乗っているバクを見て、グラントが若干憐れむような顔になる。

彼もスライムは生活以外で役に立つことはないと思っているようだ。

「はい。そうなのですが、どうも僕にはバクがただのスライムとは思えないんです」

「どういうことだ？」

眉を顰《ひそ》めるグラントに僕は、バクがただのスライムではないと思うことを報告する。

木だろうと岩だろうとなんでも食べる異常な食欲。

討伐依頼ではゴブリンが放った矢を取り込み、放出することで倒していたこと。

さらには殴りかかったハイゴブリンの右腕を食べてしまったことなど。

そんなバクの不思議な生態や活躍を目にすると、とても最弱といわれるスライムには思えない。

そんなことを報告すると、グラントは顔を真っ青にしながら言う。

「……イツキ、そのスライムに魔法を食べさせることができるか試してみてくれ」

「魔法ですか？」

グラントに言われて、僕は試しに魔法を発動。宙に火球を浮かべてみた。

これをバクに食べさせろだって？　なんでも食べるとはいえ、こんなものをバクが食べられるのか？

肩に乗っているバクの傍に火球を近づけると、バクは好奇のこもった視線を向ける。

確かスライムは火をはじめとする魔法を苦手としていたはず。それなのにバクは火球を恐れる様子はまったくなかった。

「食べられるなら食べてもいいよ」

バクは「え？　いいの？」というような顔をしてから口を開け、火球を一口で食べてしまった。

バクの体が熱で燃え上がるようなことはない。バクは料理でも味わうかのように口を動かすと、体を震わせて呑み込むような仕草を見せた。

本当に魔法を食べちゃったよ。

「美味しいの？」

思わず尋ねると、バクはこくこくと頷く。

もう一度、火球を出してみるが、手を近づけてみると勿論熱い。

人間が食べることは不可能だ。

「異常な食欲にスライムとは思えない知能の高さ。格上の魔物だろうがお構いなしに食べてしまう獰猛性に魔法すらも食べることができる……間違いない。そいつはグラトニースライムだ」

「グラトニースライムですか？」

「フェンリルと並ぶ伝説の魔物であり、危険指定されている魔物だ」

「ええ!?　バクってそんなにすごい魔物だったの!?」

バクを持ち上げて振り向かせるが、「そうなの？」といった風で本人自体もわかっていないようだった。かわいい。

「危険指定されてるってことは、バクは討伐されてしまうんですか？」

バクがどんな危険な魔物であってもバクはバクだ。

危ない魔物だからといって、今更手放すつもりはないし、他の冒険者に討伐させる気はない。何があっても守ってやるつもりだ。

「……なんともいえんな」

そんな決意を込めての問いかけだったが、グラントの答えは非常に曖昧なものだった。

「なんですか……その微妙なコメントは？　支部長なんですからもうちょっと具体的な返答をください」

「うるさい！　そもそもフェンリルとグラトニースライムを従魔にするEランク冒険者なんて聞いたことがないぞ！　お前は世の冒険者に喧嘩《けんか》を売ってるのか⁉　前例がない以上は支部長でしかない俺には判断ができん！」

じっとりとした視線を向けると、なぜか僕が怒られてしまった。

まあ、伝説といわれる魔物を二匹も従魔にしているので、非常識だと言われても仕方がないかもしれない。

逆の立場で考えると、僕って本当にイレギュラーだ。なんかごめんなさい。

「とりあえず、この件は本部に報告しておくが、イツキが従魔として完全に従えているのであれば問題はないだろう」

「そうですか……」

グラントの見解を聞いてホッとする。

ひとまず、バクを今すぐにどうこうすることはないようだ。

「ただイツキの制御に疑義が出てしまえばどうなるかはわからん。妙な言いがかりをつけられないようにしっかりと立ち回ることだ」

「わかりました」

「あとランクは早めに上げておけ。高ランクになると多少の無理も利く」

高位の冒険者になると、国から様々な支援を受けられるようになり、王族や貴族といった特権階級の人たちも動向には気を遣うようになるらしい。Aランク、Sランクにもなると下手な貴族よりも待遇は上だとか。

そこまでいけるかはわからないが、シロウやバクのためにもランクはできる限り上げておいた方がよさそうだ。

●

ギルドで報酬を受け取った僕は、セセリア商会へとやってきた。

店内にはちょうど品出しをしているセセリアがいた。

「こんにちは、セセリアさん！」

「イツキさんにシロウさん――って、あれ？　従魔が増えています？」

僕の肩に乗っているバクを見て、セセリアが興味深そうな顔をした。

「先日、仲間になったバクです」

「かわいい！　あの、少し触ってもいいですか？」

「いいですよ」

バクはシロウに比べると、人間に対して非常に懐っこいので触られるのは大丈夫だ。初対面の人に撫でられても平気だし、知らない間に宿の従業員にかわいがられてお菓子を貰っている姿もよく見かける。単純に甘え上手なのだろう。

僕が許可を出すと、セセリアが手を伸ばしてバクを撫でる。

「はわー、手に吸い付くような滑らかさと程よく押し返す弾力！　このスライムただものじゃないですね？」

「セセリアさんにはわかるんですか⁉」

「ふふん、これでも何種類ものスライムを飼ったことがありますから」

まさか撫でただけでスライムの判別ができるとは商人ってすごいな。

「さすがはセセリアさん！　じゃあ、バクがグラトニースライムだということもお見通しなんですね」

「ええ！　私にかかれば、この子がグラトニースライムだってことはお見通し――んっ？　イツキさん？　今なんて言いました？」

「グラトニースライムです」

「……バクさんが？」

「はい。先ほど支部長のグラントさんに言われました」

僕がきっぱりと告げると、セセリアの視線がゆっくりとバクへ向かった。

グラトニースライムがどんな魔物かわかっているのか、セセリアの顔にだらだらと冷や汗のようなものが流れ……。

「ひ、ひぃー！」

悲鳴を上げた。

「ええー？　わかっていたんじゃなかったんですか⁉」

「撫でただけでそんなことわかるわけないじゃないですか⁉」

てっきりバクがグラトニースライムだと理解した上で撫でているのかと思ったが、ノリに合わせて適当に言っていただけらしい。なんともややこしい。

「とにかく、落ち着いてください。バクは皆が思うような危険な魔物じゃないですから」

「そ、そうですね。もし、バクさんにその気があったら、私だけじゃなく、この店なんて簡単に丸呑みにできますから」

諭《さと》すように言うと、セセリアは胸を押さえて深呼吸をした。

へー、バクってこれぐらいの大きな建物も丸呑みにできちゃうんだ。

なんて見ていると、バクは「しないよ？」とでも言うように振り返った。

「ところで本日はお買い物ですか？」

程なくすると落ち着いたのかセセリアが笑顔を浮かべながら尋ねてくる。

さすがはプロの商人。切り替えが早い。

「実はお金が貯まったので魔道コンロを買いにきました」

そう、今日ここにやってきたのは魔道コンロを買うためだ。

ハイゴブリンとマジックゴブリンの討伐による上乗せ金と、魔石の買い取りによって遂に僕たちは金貨二十枚を獲得したのである。

「おめでとうございます！　冒険者になってこんなにも早く稼げるなんてすごいことですよ！」

「セセリアさんがお勧めしてくださったお陰です。本当にありがとうございます」

セセリアが冒険者という職業を教えてくれなかったら、こんなにも順当な生活を送ることはできていなかっただろう。改めて感謝だ。

セセリアと共に階段を上って四階にある魔道具売り場にやってくる。

「そちらのソファーにおかけになってお待ちください」

ソファーに腰掛けると、セセリアが奥のフロアへと移動し、僕が取り置きを頼んでいた魔道コンロを持ってきてくれた。

「こちらが取り置きしていました魔道コンロです」

セセリアに差し出され、僕は魔道コンロの状態などを確認して戻す。

問題ないことを告げると、セセリアは魔道具に火の魔石を入れて実際にスイッチを押すと速やかに火が点いた。

その状態でもう一度差し出されたので、僕はレバーを操作して火の調節をしてみせる。

前世にあったコンロと同じく繊細な火加減ができるようだ。

スイッチを捻《ひね》りながら右に回すと火が消えて、もう一度押しながら左へと回すとスムーズに着火する。

「問題ないです。こちらの魔道コンロをください」

「ありがとうございます」

動作に問題ないことを確認すると、僕は金貨二十枚と引き換えに魔道具を受け取った。

「こちらの火魔石はサービスでお付けしますね」

セセリアが渡してくれた革袋の中には、火の魔力がこもった魔石が五つほど入っていた。

「ありがとうございます！」

「丁寧に使えば一か月ほど保ちますが、派手に使うと二週間も保たないので無くなったら魔石を扱っている商店か魔石屋でお買い求めになってください」

「わかりました」

その他の魔道コンロの扱いやメンテナンスの仕方などを教えてもらうと、僕たちはセセリア商会を出た。

「やった！　念願の魔道コンロが手に入った！」

以前、セセリアの商会で見かけてからずっと欲しかったんだよね。

金貨二十枚という大金なせいか中々手に入れることができずに、悶々《もんもん》としていたがようやく買うことができた。

魔道コンロを手にして一人ではしゃぐ僕。

傍にいるシロウとバクにはいまいち良さがわかっていない様子だ。

「これがあれば、外の調理が今までよりもスムーズになるし、料理のレパートリーも増えるよ！」

「ワッフ！　ワッフ！」

わかりやすいようにメリットを提示すると、シロウやバクにも魔道コンロの素晴らしさがわかったのか僕と同じように喜んでくれた。

皆、ご飯が大好きだからね。ご飯がより美味しく食べられる道具なら嬉しいだろう。

「だけど、結構お金が減っちゃったな」

魔道コンロを買ってしまったお陰で財産がかなり減ってしまった。

残金は金貨三枚ほど。質素に暮らせば二か月は暮らせるが、うちにはシロウとバクという食いしん坊な魔物がいる。彼らの食費や宿の滞在費などを考えると、やや心許ない金額だ。

「また明日から稼がないとね」

なくなった分はまた皆で頑張って稼げばいい。

一人だと心細いが、今の僕にはシロウとバクがいるからね。なんとかなるさ。

●

翌日。ギルドで依頼を受けた僕たちは、魔物の討伐をするために東の森の奥地へとやってきていた。

奥地までやってくると木々が鬱蒼と生い茂っており、太陽の光がほとんど遮られるために影が多くなる。

そのため数日前に降ったと思われる雨が乾き切っておらず、やや地面がぬかるんでいる。

木や岩の表面には苔が繁茂しており、どこかジメジメとした空気が漂っている。

静かな森の中を進んでいると、真っ赤なカサで白い斑点《はんてん》をつけた大きなキノコが見えた。

今回のターゲットはマダンゴというキノコ型の魔物だ。

厄介なのはマタンゴという同じ色合いをしたキノコに擬態《ぎたい》し、人に襲い掛かる特性を持っていることだ。

「……どれがマダンゴなんだ？」

周囲には同じ色と形をしたキノコが無数に生えている。

カサの色、形、模様に違いがないか確認しているが、まったく同じにしか見えない。

もうちょっと近づいて色々な角度から見たいが、あまり近づき過ぎるとマダンゴだった場合に襲われる可能性がある。

「シロウはわかる？」

「ワフウ……」

シロウの嗅覚があれば、見極めることができるのではないだろうか？

そう思ったのだが、どうやら周囲にマダンゴとマタンゴの胞子が漂っているせいで見分けがつかないようだ。

適当に石を投げてみるが、周囲にあるキノコたちが動く様子はない。

僕たちに見分けがついていないと理解しているから、少しの刺激では動きを出さないようにしているのだろう。賢い魔物だ。

「ワッフワッフ！」

「全部攻撃してもいいんだけど、マタンゴは持って帰るとお金になるし、食べると結構美味しいらしいよ？」

「ワッフ」

食材になると告げると、シロウは「じゃあ、それはやめる」と言うかのように静かになった。

どうしよう。わからない以上は、近づいてみるしかないな。

事前に障壁《しょうへき》を張っておき、相手が襲い掛かってきたところを弾いてカウンター攻撃をすればいけるかもしれない。

なんて作戦を考えていると、僕の肩に乗っていたバクが跳躍した。

バクは体を揺らして、周囲にある周囲にあるキノコからキノコのカサへと飛び移る。

その中にはマダンゴもいるだろうが、バクをただのスライムだと認識しているのか、それとも僕たちが見抜けていないと判断して様子見をしているのだろう。我慢強い。

ぽよんぽよんと楽しげに跳ねて戻ってくると、バクは体を細長く伸ばして右にあるキノコを指し示した。

「あれがマダンゴなの？」

バクはこくりと頷き、次々と体を触手のように伸ばしてマダンゴを指し示していく。

恐らく、バクは体を使って接触することでただの食材か魔物かを判別したのだろう。

どれが魔物かわかっているなら話は早い。

「わかった。バクを信じて攻撃してみるよ」

僕は無属性の魔力矢を生成すると、バクが指し示したマダンゴに狙いをつけて一斉に射出した。

「「ピギイイッ⁉」」

魔力矢が突き刺さると、マタンゴに擬態していたマダンゴが甲高い声を上げて倒れた。

しかし、致命傷に至っていない個体が三体おり、地面から這い出て襲い掛かってくる。

ドスドスと短い足を動かして迫ってくるが、そんな速度はシロウからすれば止まっているも同然だ。シロウが動いた後には、三体のマダンゴが地面に倒れ伏していた。

「ありがとう。バクのお陰で安全に倒すことができたよ」

肩に乗ったバクを撫でると、嬉しそうに身を震わせた。

周囲の安全を確認すると、僕は速やかにマダンゴの遺体をマジックバッグに回収。

マダンゴの素材は麻酔、滋養薬《じようやく》、ポーションなどの材料になって非常に有用なので買い取り額はそれなりのものになるだろう。

バクが指し示したマダンゴは八体なので、これで周囲にいるマダンゴはすべて討伐できたことになる。

「あとはマタンゴの採取だね」

マダンゴが紛れていないとわかれば、採取を恐れることはない。

マタンゴは僕の身長ほどあるので、両手を使って力を入れてみる。

しかし、かなりの大きさのせいか中々に引っこ抜けない。

それでも踏ん張って力を入れると根元から引っこ抜けたのだが、不意に抜けたせいで身体が後ろへと流れてしまう。

尻もちを突くことを予想するが、僕のお尻を弾力性のある何かが受け止めてくれた。

視線を向けると、僕のお尻と地面の間に変形したバクが滑り込んでおり、クッションとなっていた。

バクは弾力のある体を使って、僕の身体を前へと戻してくれる。

「ありがとう、バク。助かったよ」

礼を言うと、バクは定位置となりつつある僕の肩へと戻った。

最初はジーッとしていることが多いバクだったが、共に生活をおくることによって何が自分にできるか、何をすれば役立てるかを理解してきているような気がする。

こんな風に僕のカバーをしてくれることはもちろん、戦闘面ではシロウが動きやすいようにカバーしたり、生活面でも荷物を持ってくれたりすることが増えた。

シロウと一緒でバクが日に日に成長しているのだとしみじみと思う。

シロウもマタンゴの採取を手伝ってくれたので、あっという間に採取は終わった。

依頼内容は五体のマダンゴの討伐なので既に完了しているし、道すがらにキルク薬草や山菜なども採取しているのでノルマは十分に達成している。

「よし、街に戻る……前にマタンゴを食べて行こうか」

「ワッフ！」

街に戻ろうとしたらシロウがあんまりにもしょげた顔になったので、帰る前にここで腹ごしらえをすることにした。

キノコの定番といえば塩焼きではあるが、外でそれをやるなら焚火でも十分だ。

せっかく魔道コンロを買ったばかりなのだし、どうせならそれを使った料理がいい。

「アヒージョにしようか」

アヒージョであれば作るのにそれほど時間もかからないし、魔道コンロの安定した火力で熱々のものを食べ続けることができる。

そんなわけで僕はアヒージョを作るべくマジックバッグから必要なものを用意。

スライムシートを敷いて魔道コンロを設置すると、スイッチを押し込みながら左に捻る。

それだけでコンロに火が点いてくれた。

「料理をする前に準備が一つ減るだけで快適だね」

これまではマジックバッグから薪を取り出したり、周囲にある乾燥した枝葉を拾い集めたりとしていたが魔道コンロがあれば、それらの手間を省くことができるので楽だ。

コンロの上に大きなスキレットを置くと、オリーブオイルを垂らし、スライスしたニンニクを入れる。この時にみじん切りと薄切りと二種類のニンニクを入れるのが、より風味を馴染ませるワンポイントだ。

ニンニクを炒めている間にマタンゴを水布巾で丁寧に拭ってやる。

僕の身長ほどの大きさがあるので汚れを落とすだけでも一苦労。でも、キノコの芳醇ないい匂いが最高だ。

マタンゴを綺麗にしたら食べやすい大きさに裂いてやる。

包丁でカットしてもいいのだが、裂いた方が断面がギザギザになってオイルが染み込みやすくなるのでオススメだ。

オリーブオイルにニンニクが馴染んできたら、裂いたマタンゴをたくさん投入。

塩、鶏がら出汁を少しだけ入れると、全体が混ざるようにしてやる。

マタンゴを煮込んでいる間に、街で買っておいたバゲットをスライス。

火球を生み出すと、エイワスを焼いた時のようにバゲットを串に刺して炙っておく。

こうやって同時進行するためには魔道コンロがもう一台欲しいところだ。

でも、すぐは買えないのでまたお金が貯まって、余裕があったらにしよう。

マタンゴの上品な香りとニンニクの強烈な香りが胃袋を刺激してくる。

シロウはその香りに夢中なのか、傍でずっとスキレットを覗き込んでいた。

ふんわりとした尻尾がフリフリと揺れている。

そんなに見つめても煮込む時間は短くならないよ。

オイルがふつふつとしマタンゴに火が通ってきたら、軽く味見をして問題ないことを確認。もう少しだけ煮込むと、スライスした鷹の爪をかけ、最後にパセリを振りかける。

「マタンゴのアヒージョの完成だ！」

出来上がった頃にはバゲットもしっかりと焼けており、香ばしい匂いを放っていた。

シロウとバクのお皿にアヒージョを入れて、こんがりと焼けたバゲットも添えておく。

「それじゃあ、食べようか！」

「ワッフ！」

僕がスプーンを手に取ると、シロウとバクは勢いよく食べ始める。

「どう？　美味しいかな？」

「ワッフ！」

シロウが元気良く声を上げて、バクがふるふると体を揺らす。

今までとは違った料理だけど、こちらも気に入ってくれたようだ。

シロウとバクを横目に僕もマタンゴのアヒージョを食べることにした。

オイルに溶け出したニンニクが食欲のそそる香りを放っている。

アヒージョにはマタンゴがゴロゴロと入っており、とても美味しそうだ。

口に入れた瞬間にマタンゴの上品な香りがふんわりと広がっていく。

食感はエリンギに似ていて、柔らかさの中に少しの弾力がある感じだ。

歯を突き立てるとマタンゴの凝縮《ぎょうしゅく》された旨みがにじみ出た。

「うん！　熱いけど美味しい！」

出来立てなせいか少しだけ熱いけど、そんなことが気にならないくらいに美味しい。

身体が次を求めており、夢中になってスプーンが動いてしまう。

オリーブオイルにしっかりとニンニクの味がついている。それだけじゃなく、マタンゴの上品な香りや旨みも溶け出しているのでオイルだけでも美味しい。

少し混ぜた鶏がら出汁がいい仕事をしているな。

塩、胡椒だけでは足りない旨みが出ている。

アヒージョ単体だけを味わうと、次はバゲットと一緒に楽しむことにしよう。

バゲットをオイルに浸して、その上にマタンゴを載せて口へ運ぶ。

マタンゴとバケットの相性も最高だ。

僕がバゲットを浸して食べていると、シロウとバクが興味深そうにこちらを見つめる。

「こうやってバゲットを浸して食べると美味しいよ」

わかりやすく実演してみると、シロウは前脚を、バクは触手を伸ばしてバゲットを持ち上げてオイルに浸した。パクリと口に含むと、二匹は嬉しそうに顔を綻ばせた。

そんな二匹を見て、頬を緩ませると僕もアヒージョを食べ進める。

「あっ、マタンゴがなくなっちゃった」

マタンゴがとても美味しく、僕たちがお代わりを重ねるとなくなってしまった。

すると、シロウとバクがとても残念そうな顔をする。

そのしょんぼり具合があまりにも可愛くて苦笑してしまう。

「大丈夫。オイルもマタンゴもたくさんあるから今から作るよ」

そう言うと、シロウとバクは表情を明るいものにした。

アヒージョの宴は太陽が傾きかけるまで続いた。

●

翌日。冒険者ギルドの掲示板の前で僕は唸っていた。

「うーん、あんまりいい依頼がないな」

掲示板に依頼はあるのだが報酬額の小さな依頼が多い。

というか、依頼の中で一番割のいい討伐依頼がやけに少ない気がする。

「今日の討伐依頼ってこれだけですか？」

「はい。これだけです」

受付にいるノノアに尋ねると、きっぱりとした返答が。

「……少なくないですか？」

「ここ最近、とても精力的に活動してくださるEランク冒険者がいるんですよ。しかも、その冒険者はフェンリルに騎乗してあちこちに移動するので、すさまじい勢いで魔物が駆逐されていくのだとか」

それって完全に僕たちのことじゃないか。

どうやらこのランク帯の討伐依頼が少ないのは、僕たちがこなし過ぎてしまったかららしい。

「何かギルドから紹介できる依頼はありませんか？」

「すみません。今は生憎《あいにく》とイツキさんにおすすめするような依頼はないですね」

申し訳なさそうな顔で言うノノア。

ゴブリンの巣を駆除した時のような流れを期待したが、生憎とギルド側から僕たちに流せる依頼もないようだ。

「今のイツキさんたちの実力からすると、ここにある依頼に旨みが少ないですよね」

「そうですね。もう一台は魔道コンロが欲しいですし、うちは食費もそれなりにかかりますから」

報酬金額の少ない依頼だと、シロウとバクの食費だけで赤字となってしまう。

「元々、この付近には危険な魔物も少ないですからね。ダンジョンでもあれば別なのですが……」

ダンジョンとは数多《あまた》の魔物が棲息《せいそく》している階層構造となった地下空間のことだ。

冒険者はダンジョンに潜り、魔物の魔石や素材を持ち帰ったり、探索で見つけた財宝を持ち帰ることによって稼いだりもする。

冒険者ギルドで依頼を受けるとは別の生計の立て方だと言えるだろう。

ダンジョンがあれば、僕たちも自由に探索をしてお金を稼ぐこともできるが、生憎とレイルズ付近には一つも存在しないようだ。

うーん、どうしたものか。

あまり報酬は高くないものの、今までのように採取依頼と平行して受けて、地道に稼いでいくのが堅実《けんじつ》か。

「イツキさんの現状を考えると、別の街に移った方がいいかもしれないですね」

「別の街ですか？」

「はい。現状ではイツキさんたちに見合う依頼をご紹介できる可能性が低いですから」

ノノアから話を詳しく聞くと、この街にはF、E、Dランクの冒険者が多く、ハイゴブリンのようなイレギュラーを除くとCランク以上の魔物はほぼいないらしい。

スペック的にCランク以上の実力はある僕たちにとって、この街は美味しくない活動拠点になりつつあるのだ。

「ギルドとしてはイッキさんたちのような若い実力者には留まってほしいですが、あくまで優先するべきは冒険者さん自身の幸せですから」

「あ、あの……そう言うのであればシロウとバクから離れてくださいよ」

とてもいいことを言ってくれるノノアだが、右腕でバクを抱えながら、思いっきりシロウに抱き着いていた。

ギルドの受付嬢としての言葉に個人としての気持ちがまったく追いついていないな。

それにしても、普通に街を移動してもいいんだ。

ここでの生活に馴染んできたので、すっかり活動場所を変えるという思考がなくなっていた。

今の僕は冒険者。前世のように一か所で、会社に縛られることはない。

それに今の身体は自由に移動ができるほどに健康なんだ。

僕のやりたかったことは生前にできなかった、旅行、食べ歩き、遊びなどを思いっきり楽しむこと。見知らぬ場所に向かうのは僕のやりたかったことの一つだ。

自由で健康な今こそ、やりたいことを実行するべきだろう。

「よし、決めました！　僕、他の街に移ってみようかと思います！」

「ええー！　本当に行っちゃうんですか⁉　この街に思い入れはないんですか⁉」

「拠点を移すのを勧めてくれたのはノノアさんじゃないですか⁉」

「だって、せっかく仲良くなったシロウちゃんやバクちゃんと離れたくないんですもん！」

　ノノアがシロウのお腹に顔を埋めながら言う。

　語尾が完全に駄々をこねる子供だった。

「他の街に移ることにしたのか？」

　ノノアがもふもふを堪能していると、後ろからグラントがやってきて声をかけてきた。

「あっ、はい。色々な国や街を回るのが夢だったので」

「そうか。ちょうど本部からバクについての回答がきたところだし、拠点を移す前に伝えておこう」

「どうでした？」

「本部としてもバクをイッキの従魔として認めるようだ」

　本部の書類らしきものとグラントの回答を聞いて、僕は安堵《あんど》の息を漏《も》らした。

「そうですか」

「ただし、バクが一般人に被害を与えるようなことがあれば、責任はすべて君にのしかかるだろう」

「覚悟の上です」

シロウやバクが一般人に被害を与えることなんてないと思うが、もしもの時は責任を負うつもりだ。それが従魔を持つ者としての必要な覚悟だと思う。

「ならばいい」

視線を逸らすことなく言うと、グラントは納得したように頷いた。

「有望な冒険者がいなくなるのは支部長として残念だが、ギルドが冒険者の移動を制限する権利などないしな。どこに行くかは決めているのか？」

「まだ決めていません。もう少し大きく、討伐依頼の多い場所に行こうかなって」

「ふむ。それならここから馬車で一週間ほどの距離にあるバルドルなんてどうだ？　そこならここよりも強い魔物が多い上に、街もそれなりに発展している」

魔物が今よりも全体的に強い上に、交易の中間地点となる街のためレイルズよりも大きくて物流もいいようだ。そこならここよりも食材が多く手に入って、美味しい料理も堪能できるかもしれない。

「いいですね。では、そこに行ってみようかと思います」

「ちょうど三日後にバルドルに向かう商人の馬車がある。よければ、そこを紹介してやるが？」

僕にはシロウがいるので馬車に乗って移動するよりも、シロウの背中に乗って移動した方が遥かに早い。

断ろうと思ったところで、ノノアが耳打ちをしてくる。

「その馬車にはBランクのパーティーの『巨人の剣』が護衛を引き受けているんです。イッキさんはまだランクが低いので護衛には加われませんが、高ランクの冒険者と仲良くなっておくことは決して損になりませんよ」

そうか。何事も効率だけで動いていちゃせっかくの異世界も楽しくないよね。

それに僕の傍には常にシロウとバクがいるために、レイルズでも他の冒険者との交流はほとんどない。

他の冒険者がどういう考えをしていて、どんな戦い方をするのか僕はまるで知らない。

今後も活動していくことを考えれば、冒険者同士の横の繋がりは大切だ。

グラントの提案にはそういう優しさがあるのだろう。

「では、お願いします」

「わかった。そのように伝えよう。三日後の早朝に南門広場に集合しておいてくれ」

「本当にありがとうございます」

感謝を伝えると、彼は照れくさそうに頭をかきながら口を開いた。

「代わりに一つだけ頼みを言っていいか？」

「なんでしょうか？」

「そのフェンリル……シロウに触れてもいいだろうか？」

どうやらグラントもシロウをもふりたかったらしい。

普段ハキハキとした物言いをしているグラントが、おずおずと頼み込んでくる様子は少しだけおかしかった。

6話　いざバルドルへ

三日後。レイルズからバルドルに移ることにした僕らは宿を引き払い、ノノアをはじめとするお世話になったギルド職員や支部長のグラントに別れの挨拶を済ませると、集合場所である南門広場にやってきた。

広場には大勢の商人や旅人、冒険者がおり、早朝ながらも多くの人で賑わっていた。

「行けばわかるって言われたけど、どの馬車なんだろう？」

バルドルに向かう商人についてグラントに尋ねたら、行けばすぐにわかると言って教えてくれなかった。

まあ、僕たちの情報については商人たちは知っているだろうし、待っていれば向こうから声をかけてくれるか。

「イツキさーん！　おはようございます！」

広場で大人しく待っていると、不意に聞き覚えのある声が聞こえた。

振り返ると、商人であるセセリアがいた。

「おはようございます。セセリアさんはどうしてここに？」

「イツキさんをお迎えにきました！」

「えっ、お迎えって……まさか、バルドルに向かう商人ってセセリアさんのことですか？」

「正解です！」

「びっくりしました。まさかセセリアさんとは思いませんでしたよ」

なんて素直に言うと、セセリアは悪戯《いたずら》が成功したように無邪気に笑った。

道理でグラントが教えてくれないわけだ。

確かに知り合いならば、集合馬車に行けばすぐにわかるよね。納得だ。

「すみません。護衛の方がいるのに急に同乗をお願いしてしまって」

「確かに護衛の方は他にいますが、顔見知りの方がいると私も安心できるので助かりました」

そう言ってもらえると、こちらとしても気分が軽くなるものだ。

「あっ、ちょうど護衛の方がいらっしゃったので紹介しますね」

「お願いします」

セセリアと話し込んでいると、大通りの方から三人組の冒険者が現れた。

「……大きい」

特に目を引くのは先頭に立っている男性の大きさだ。身長が二メートル近くある上にガタイもかなりいい。

上半身が胸当てや肩当てなどの部分が金属鎧で包まれているが、その下にはみっちりとした筋肉があるのが想像できる。

背には大剣があり、佇《たたず》まいを見ただけで実力者だとわかった。

そんな彼の後ろには二人の女性がいる。

ブロンドの髪を腰まで伸ばしている細身の女性は、肌がとても色白で綺麗だ。

特に気になるのは葉っぱのように三角に伸びている耳。

もしかして、彼女はエルフという種族ではないだろうか？

この世界にいるとは聞いていたが初めて見たな。

杖を持っていることから僕と同じ魔法使いタイプなのかもしれない。

エルフの女性の横に並んでいるのは、橙色《だいだいいろ》の髪に耳を生やした獣人だ。

髪の毛を後ろで二つ縛《しば》りにしており、ショートジャケット、短パンなどを穿《は》いておりやや露出《ろしゅつ》が多い。

おそらくは動きやすさを重視しているのだろう。

どんなスタイルで戦うのか不明だが、頼りないといった雰囲気はまったくなかった。

「今日はよろしく頼むな！　セセリアさん！」

「はい！　こちらこそよろしくお願いします！」

先頭にいる大きな男がやってきて、セセリアと挨拶を交わす。

ちょっと強面気味なので怖い雰囲気があったが、口調からして結構気さくなタイプのようで安心した。

見守っていると挨拶が終わったのか、セセリアがこちらに振り向く。

「先日、お伝えしました同乗者の方を紹介しますね。冒険者のイツキさんです」

「はじめまして、冒険者のイツキです。こっちは従魔のシロウとバクです。Eランクなので護衛ではなく、あくまで同乗者となりますが、バルドルまでよろしくお願いします」

「「「……」」」

ぺこりと頭を下げると、なぜか三人組が疑念のこもった視線を向けてくる。

その中で男性がこちらへ近寄ってくる。

「なあ、セセリアさん。こいつも護衛に加えちまった方がいいんじゃねえか？」

「まだイツキさんはランクがEなので護衛依頼は受けられませんよ。あくまで同乗者として支部長に頼まれていますから」

「これがEランク？　絶対違うだろ？」

「人間なのに魔力量が私よりも多いわ」

「にゃー、フェンリルとスライムの亜種を連れている時点でEなんておかしい！」

男性だけでなくエルフや獣人も疑念の声を上げた。

確かにシロウがいる時点でEランクじゃないしね。

グラントやノノアから何度もランク詐欺だと言われたものだ。

「ふーん、Ｅランクでも実力があれば関係ねえだろ？」

「そうだけど、今回は支部長からお願いされているみたいだし、無理強いはマズいわ」

「ギルドも一応は気にかけているってわけか。なら、仕方がねえ」

危うく護衛メンバーに混ぜられそうになったが、エルフの冷静な判断によって救われた。

実はレイルズにやってくるまでの道のりでセセリアの護衛を引き受けたが、あれはギルドを介した依頼じゃないので関係ないのだろうな。

「すっかり名乗り遅れちまったな。俺は『巨人の剣』のリーダーをしているディアスだ」

「シルファよ」

「ミリアリアだよ！　よろしくね！」

「よろしくお願いします」

ランクが高いので尖ったような人だったらどうしようと心配していたが、気さくで優しそうな人たちで安心した。これなら道中にトラブルになることもなさそうだ。

顔合わせが終わったところでディアスたちはセセリアに呼ばれたので解散する。

本日のルートや、休憩地点、魔物が出現した時の対応などを相談しているのだろう。

周辺の地理に詳しいわけでもなく、護衛でもない僕は邪魔をすることなく待機。

待っている間、シロウとバクがお腹を空かせたので屋台の料理を買うことに。

目の前で売っている屋台料理はふかし芋。

芋を蒸しただけのシンプルなものだが、蒸し器から漂う芋の匂いが堪らない。

「ふかし芋を三つ。バター付きでお願いします」

「あいよ！」

屋台のお兄さんに銅貨を払うと、ふかし芋にバターを乗せて渡してくれた。

熱々のふかし芋の上で溶けたバターがいい匂いを放っている。

「ワッフ！　ワッフ！」

シロウの鋭敏な嗅覚もバターのいい匂いを捉えているのか、早くちょうだいとばかりによりかかってくる。

「熱いから気を付けてね」

急かされながらもお皿を出してシロウとバクに渡すと、ぱくりと美味しそうに頬張り始めた。

美味しく、気に入っている様子は食べ進める勢いから一目瞭然だな。

そんな二匹を横目に僕も紙に包まれたふかし芋を頬張る。

「あふっ」

ほふほふと吐息のような言葉が漏れる。

熱いので口の中を転がしながら噛み締める。

すると、柔らかな芋が口の中でほろりと崩れた。

蒸したことによりジャガイモの甘みが凝縮されていた。そこに溶け出したバターの塩気が絡んでくることによって、より甘みが強調されている。

「うん、熱いけど美味しい！」

特に派手さのない料理だが安心して食べられるや。

どんどんと食べ進めていると、あっという間にふかし芋はなくなってしまった。

一応、朝食は食べてきているので僕は一つで十分だったが、シロウやバクは物足りなかったようだ。

セセリアたちの打ち合わせはまだ続いているようだし、もう二個ずつくらい頼んでおこうかな。

「ふかし芋を四つ追加で」

「もう四つ追加で！」

屋台のお兄さんに頼むと、すぐ横からそんな声が聞こえた。

視線を向けると、いつの間にかディアスが傍にやってきていた。

「打ち合わせはいいんですか？」

「イツキたちが美味しそうに食ってるからついな」

振り返ると、セセリア、シルファ、ミリアリアたちが落ち着かない様子でこちらを見ていた。

他の人が食べている料理って無性《むしょう》に食べたくなるよね。

シロウとバクの追加分を受け取ると、ディアスもふかし芋を持ち帰って打ち合わせに戻る。

チラリと後ろを見ると、ふかし芋を食べながら和やかに話し合っている四人が見えた。なんだかとても微笑ましい。

このメンバーとの旅なら楽しい思い出になりそうだ。

程なくして打ち合わせが終わったのか、セセリアから声がかかる。

僕たちは最後尾から二番目の荷馬車に乗せてもらえることになったので、シロウとバクと共に乗り込む。

前方の馬車にはディアス、シルファが控えており、最後尾の馬車にはミリアリアが控えるフォーメンションのようだ。

「それでは出発します！」

事前に品物のチェックなどは終わっているからか検問すらなく、僕たちはあっさりと門を抜けることができた。

いつものように依頼で外に出るのではなく、拠点を変えるための移動。

レイルズから離れることになるのは少し寂しいが、新しい人との出会いや、まだ見ぬ土地への期待が胸中で膨らんでいた。

バルドルがどんな街か楽しみだ。

「イッキさん、馬車の中は窮屈ではないですか？　商品と一緒になってしまってすみません」

ガタゴトと荷馬車の中で揺られているとセセリアがやってきた。

「いえいえ、急に同乗をお願いしたのはこちらですし、十分に広くて快適なので気にしないでください」

確かに僕たちの荷馬車の中には商品らしき木箱が置かれているが、きちんと整理されているし圧迫感もない。シロウやバクに配慮して、広めにスペースを空けてくれているのが十分にわかる。むしろ、急に押しかけて場所を空けてもらって申し訳ないくらいだ。

「そうですか。なら良かったです」

馬車に乗るのは久しぶりで前にセセリアを助けた時以来だ。

こうやって二回目の馬車に乗るのもセセリアの商売に同乗してとなると、面白い運命だと思う。

「ところで、セセリアさんは商売をしにバルドルへ？」

「はい。バルドルの方に本店があるので、そちらの様子を見に行こうかなと」

「えっ？　セセリア商会って、レイルズだけじゃないんですか⁉」

てっきり店舗があるのはレイルズだけで、バルドルには商《あきな》いをしにいくだけだと思っていた。

「にゃー？　セセリア商会はかなり有名で、ここら辺にはたくさんの店舗があるよ？」

驚きの声を上げていると、後ろの馬車の屋根からミリアリアが見下ろしながら言った。

「そ、そうなんですか？」

「むしろ、イッキが知らなかったことに驚きだよ」

「まあ、それなりに手広くやらせてもらっています」

思わずセセリアの方を向くと、気恥ずかしそうにしながら言う。

どうやらセセリアは僕が思っている以上に、すごい商会の主だったらしい。

でも、不思議と僕は納得した。

とても礼儀正しいし、他人への気遣いもできる。

余計なことは聞いてこず、かといって話をしていて壁を感じることもない。

人との絶妙な距離感を保つのが上手い彼女なら、人間関係を上手く構築できるだろうと思った。

「さすがですね」

「いえいえ、私なんてまだまだですよ。この付近から離れてしまえば、私の商会なんて大したことはないですから」

とても偉いはずなのにこの謙虚さ。前世にいた社長もこうだったな。

本当にすごい人って威張ったりしないのだろう。

「ねえねえ、イツキとセセリアさんって、どこで仲良くなったの？」

ミリアリアが好奇心を含ませた表情で尋ねてくる。

かたやこの辺りで有名な商人であり、もう一方は登録したてのEランク冒険者。

僕たちがどうやって知り合いになったのか気になるのも無理はないだろう。

「ガラール森林で魔物に襲われていたところをイツキさんに助けていただきました」

「へー、ってことは命の恩人じゃん！　やるねえ！　っていうか、あそこの森って結構魔物が強くなかった？」

「そうですね。あの時はゼノンマンティス三体に襲われましたが、イツキさんとシロウさんがあっという間に倒してくれました」

「ゼノンマンティスが三体って、Bランクの私一人でもちょっと面倒なんだけど……」

でも、ちょっと面倒ってだけで一人で相手取ることにまったく問題ないんだ。さすがはBランクだ。

「ところで、こんな風に喋っていて大丈夫なんですか？」

依頼主とただの同乗者である僕と違って、ミリアリアは護衛だ。

こんな風に僕たちと呑気に雑談をしていていいのだろうか？

「大丈夫。こう見えて耳で索敵はしているし、シルファが定期的に魔法で索敵もしているから」

「そうなんですね」

「護衛っていっても、四六時中気を張っていたら保たないからね。抜けるところは抜いていかないと」

「なるほど」

ごろんとミリアリアが仰向けに転がる。

彼女の場合はリラックスし過ぎな面もあるが、そこは個人の性格が影響していそうだ。

なんて思っていると、傍にいたシロウが耳をピクリと動かして顔を上げた。

シロウがこういった反応を見せるのは、周囲に接近する存在が現れた時だ。

数秒遅れて仰向けに転がっていたミリアリアも勢い良く起き上がる。

「さすがはフェンリル。あたしも耳には自信があったんだけどなぁ」

どうやらミリアリアも敵の存在に気づいたらしい。

フェンリルであるシロウには敵わないものの遅れはかなり小さい。

さすがは獣人だ。

「後ろからレッドコンドルが五体！」

ミリアリアの声を聞き、荷馬車から顔を出して後ろを見ると、大きな鳥型の魔物が空から近づいてきていた。

赤い翼をしており、毛先が黒く染まっている。

脚が異様に長く、生えている爪はとても鋭い。

鋭い瞳は僕たちが乗っている馬車の積み荷を狙っており、明確にこちらを害する意図があった。

ミリアリアの声に反応し、すぐにディアスとシルファがやってくる。

反射的に僕も臨戦態勢に入りそうになるが、今の僕はあくまで同乗者でしかない。

出張っても三人の邪魔にしかならないだろう。

ここは三人に任せることにし、僕は腰を下ろすことにした。

レッドコンドルが馬車の屋根にいるミリアリアへと襲いかかる。

ミリアリアは身体を低くして、レッドコンドルの強襲を回避した。

すれ違ったと思った次の瞬間、二体のレッドコンドルがふらりと体勢を崩して墜落した。

ミリアリアの手を見ると、いつの間にか短剣が握られている。

どうやら回避したと同時にレッドコンドルを切り裂いたようだ。

まったく握り込みが見えなかった。

感心していると、ミリアリアを襲っていたレッドコンドルの一体が駆け寄ってきたディアスへと向かう。

「おっ、こっちに来たか！」

ディアスは嬉しそうに笑みを浮かべると背中の大剣を引き抜いた。

レッドコンドルの鋭い爪がディアスへと振るわれる。

ディアスは攻撃を回避することなく、真正面から大剣で受け止めた。

「どうしたそんなもんか？」

ディアスの挑発を受け、レッドコンドルは首を大きく引いて嘴《くちばし》による突きを繰り出した。

狙っているのはディアスの目。

あの鋭い嘴を食らってしまえば、人間の目など簡単に持っていかれてしまう。

「食らわねえよ、そんなの」

ディアスはそれを予想していたのか、左手でレッドコンドルの首を握り込んだ。

顔をホールドされてしまったレッドコンドルが脚をバタつかせようとするが、ディアスはそのまま背負い投げをするかのように地面へと叩きつけた。

肉が地面に叩きつけられ、枝が折れるような音が響き渡る。

まさか、魔物を素手で仕留めるような冒険者がいるとは。

僕には到底真似できないスタイルだな。

仲間が続けて倒されたことによって実力差を理解したのか、残っていた二体のレッドコンドルが逃げていく。

「ライトニング！」

後ろから高らかな声が上がった瞬間、レッドコンドルに向かって雷光が走り抜けた。

電は背中を向けるレッドコンドル二体へと着弾。

無防備に魔法を受けてしまったレッドコンドル二体は、呆気なく撃墜することになった。

「さすがは『巨人の剣』の皆さんですね」

「安定感がすごいですね」

恐らくレッドコンドルが追加で十体やってこようが三人が崩れることはないだろう。

そう思わせるくらいの安定力が三人にはあった。

魔物に対する反応速度、各々がやるべきことを理解し、適格に判断している様子が短い戦闘の中でもわかった。

僕、シロウ、バクでも倒せない魔物ではないが、あの三人のように無駄なく倒せる自信はないな。

「少し早いですが、ここで休憩にしましょうか」

「素材の剝ぎ取りもあるし、そうしてくれると助かる」

セセリアとディアスの判断で、予定より少し早いが、お昼の休憩をとることにしたらしい。

太陽は中天に上っており、ちょうど昼食を食べる時間帯だ。

僕に決定権などないが、シロウやバクもお腹を空かせているので異論はなかった。

周囲は平原ということもあり、魔物が接近してくればすぐに察知できるしね。

荷馬車から降りるとシロウがぐっと伸びをする。それから大きな欠伸《あくび》を一つすると、ゆったりと歩き始めた。

草を踏みしめ、新鮮な土の匂いを確かめるように鼻をスンスンと鳴らす。

やってきたことのない草原にシロウも興味津々のようだ。

バクは僕の肩から降りることはないものの興味深そうに周囲を見つめている。

少し離れたところではミリアリア、ディアス、シルファがレッドコンドルから素材を剝ぎ取っていた。

「手伝ってもいいですか」

「おお！　助かる！」

ディアスが快《こころよ》く任せてくれたので僕はレッドコンドルを解体する。

ミリアリアとシルファが解体している様子から特別な処理や手順というものはなさそうだ。

まずは水魔法を使って血抜き処理だ。

「……それ、もしかして水魔法？」

「そうですよ」

液体操作を利用し、血液を排出しているとシルファが興味深そうにこちらを見つめる。

「魔法を使って血抜きをするなんて考えたことがなかった」

「時間の短縮になって便利ですよ」

「本当ね。これは便利だわ」

勧めてみると、シルファも真似をして水魔法による血抜きをしてみせた。

さすがは魔法が得意な種族だけあって基礎レベルが高い。僕よりもスムーズな気がする。

「教えてくれてありがとう」

「いえ」

にっこりと笑みを向けられ、思わず照れてしまう。

端正《たんせい》な顔立ちをしている人は笑顔もとても綺麗だな。

「ところで、レッドコンドルは食べられるんですかね？」

「ええ、身が引き締まっている上に弾力もあって美味しいわ」

「もしよければ、お肉の方を少し買い取らせてもらってもいいですか？」

僕が解体したレッドコンドルの傍にはシロウとバクがおり、ジーッと凝視している。

今頃、二匹の脳内では調理されたレッドコンドルの姿があるに違いない。

「お肉ならタダで構わないわよ。便利な魔法の使い方を教えてもらったし、私たちじゃ食べきれないから」

「ありがとうございます！」

眼球、尾羽、嘴、爪以外の部分は好きに使って構わないとの許可を貰えたので、僕はレッドコンドルの肉を部位ごとに解体する。

「ねえ、もしかしてイツキってば料理ができる？」

「まあ、ひとなみにですが」

「素材も少し渡すから私たちの分も作ってくれない？」

なんて答えると、シルファが切実そうな顔で頼んでくる。

「え？　僕がですか？」

「私たちのパーティーは料理がそこまで得意じゃないのよ。だから美味しく作れる人がいたら頼みたいわ」

「あ、お金を払うので私もお頼みしたいのです！」

シルファに便乗して、セセリアもやってくる。

「わ、わかりました。皆にも喜んでもらえるように頑張ります」

料理にそこまで自信があるわけではないが、ここまで頼み込まれてしまっては仕方がない。できるだけ喜んでもらえるように頑張ろう。

●

シルファたちに昼食を頼まれた僕は、どのような料理を作るか迷っていた。

しばらく迷った末に僕は決めた。

「よし、唐揚げにしよう」

そのまま塩焼きにしたり、野菜と炒めたりしてもいいけど、せっかく良質な鶏肉が手に入ったことだし、魔道コンロを買ったら作ってみたかった料理の一つだ。

下味をつけて揚げるだけなら、そこまで時間もかかることはないし、満足感もあるだろう。

天気もいいことだし、平原にスライムシートを敷く。

「ごろにゃーん！」

いつもなら真っ先にシロウとバクが乗るところだが、今日はまさかのミリアリアが一番乗り。これにはシロウとバクもビクリと身を震わせる。

「おいおい、ミリアリア。何してんだ？」

「だって、イッキがいい物を敷いてるんだもん！」

「迷惑になるからやめなさい」

僕のシートで自由に振る舞うミリアリアを見かねたのか、ディアスとシルファが連れ戻そうとする。

「別にいいですよ。食事をするなら皆で食べた方が楽しいですし」

平原で食事をするとか、まるでピクニックのようで憧れる。

「そうか？　イッキがそう言ってくれるなら座らせてもらうぜ」

僕が嫌がってないことを伝えると、ディアスやシルファもシートの上に座った。

シートの上が賑やかになる中、僕はマジックバッグから調理に必要な道具を取り出した。

「ほー、イッキはマジックバッグ持ちなのか」

バッグよりも大きなものが次々と出てくる様子にディアスが気づいたようだ。

「故郷にいた頃、とても親切な人に譲ってもらいました」

「俺たちが持ってるものよりも容量がありそうだ。いいものを貰ったな」

どうやらディアスたちもマジックバッグを持っているが、僕のものよりも容量は小さいらしい。

マジックバッグは容量が大きいほど高価だと聞いた。

やはり、僕が女神から貰ったものは相当にいいもののようだ。

レッドコンドルのモモ肉を食べやすい大きさにカットすると、まとめてボウルに入れる。

七人分ともなると、かなりの量なのでボウル二つが山盛りになった。

そこに塩、すり下ろしたショウガ、ニンニクを入れる。

料理酒やみりんがないので代用としてビールを注ぎ、揉み込んでおく。

味を染み込ませている間に、魔道コンロを設置。

鍋に油を入れると、加熱しておく。

さらにつけおき用としてのキャベツを千切りに。ここに少しだけシソを混ぜ込んでおくと、シソの風味が加わってよりさっぱりとする。

「手際がいいわね。日頃から料理をやっている人の手つきだわ」

「どんな料理ができるか楽しみだな！」

誰かに見守られながら料理をすることがないので、少しだけ緊張するがやるべき手順に変わりはない。

十分ほど漬け込むと、モモ肉に片栗粉をまぶす。

表面に片栗粉をつけたら一個ずつ握って丸めておく。

形状を均一にすることで火の入り方にムラがなくなりジューシーになる。

片栗粉を使って油の温度が百八十度に達したことを確かめると、モモ肉を油の中に投入。

ジュワアアアッと油の弾ける音が響き渡る。

これには僕以外の全員が驚きの反応を見せた。

「すごい音！」

「高熱の油で煮ているのかしら？」

「正確には揚げるっていいます。この辺ではない料理法ですかね？」

「見たことがねえな。でも、なんだか美味そうだ」

レイルズの屋台でも揚げ物は見たことがなかったが、どうやらこの辺りでは浸透していない調理法のようだ。

シロウも唐揚げが気になるのか、近くにやってきて顔を寄せる。

「シロウ、あんまり顔を近づけると危ないよ？」

「あっつい！」

僕がそんな注意をした途端、油が跳ねて覗き込んでいたミリアリアの額に当たった。

モモ肉に残っていた水分が弾けてしまったのだろう。

「なるほど。こうなるのね」

シートの上で悶絶《もんぜつ》するミリアリアを見て、シルファ、シロウ、ディアスはそっと鍋から距離をとった。

程なくすると、火が通って衣が茶色くなってきたので一度モモ肉をバットへ揚げる。

「これで完成か⁉」

「いえ、まだです」

「なんでだ⁉」

「余熱をしっかりすることで、中までじっくりと火が通ってよりジューシーになるんです」

「くう、生殺しだ！」

ディアスだけじゃなく、皆がソワソワとした様子で見守る。

そんなに熱い視線を向けても揚げる速度は早くならないんだけどな。

なんだかシロウやバクが増えたみたいだ。

余熱を通すと、再び熱した油の中にモモ肉を投入。

四十秒ほど揚げたところで持ち上げて油を切り、千切りキャベツを置いておいた皿へと盛り付けていく。

「これで完成です」

「じゃあ、皆の分が揃ったら食べ――」

「いいえ、この料理は揚げたてが美味しいので先に食べてください！」

「わ、わかったわ」

シルファの気遣いは嬉しいが、この料理は出来立てが命だ。

できれば一番美味しい時に味わってもらいたい。

僕が気迫を込めて言うと、シルファたちは素直に唐揚げに手をつけてくれた。

「なんだこれ！　うめえぞ！」

「表面はパリッとしてて中はしっとりと柔らかい！」

「びゃー！　鶏の臭みもぜんぜんない！」

ディアス、シルファ、ミリアリアが口々に感想を述べる。

反応を見る限り、かなり気に入ってくれたようだ。

「ワッフ！　ワッフ！」

「おっ、シロウも気に入ってくれたんだ！」

唐揚げを食べたシロウが嬉しさを表すように尻尾をブンブンと横に振る。

その興奮具合からして今まで作った料理の中で一番のお気に入りを更新したようだ。

バクはシロウのようにはしゃぐことはないが、バクバクと食べる速度が尋常《じんじょう》じゃない。

こちらも大好物になってしまったようだ。

皆が夢中になって食べてくれる中、セセリアだけが反応を見せていないことが気になった。

もしかすると、好みに合わなかったのかもしれない。

「セセリアさん、大丈夫ですか？　もしかして、お口に合わなかったとか……」

「イツキさん……」

「は、はい」

「これは売れます！　私の商会で唐揚げを売らせてください！」

セセリアが勢いよく顔を上げてこちらに詰め寄ってくる。

「ええ？　唐揚げをですか？」

まさか、そんな提案をされるとは思っておらず僕は驚いてしまう。

「これは間違いなく売れますよ！　どうでしょう？　レシピと調理法を買い取らせていただけませんか？　もちろん、売り上げの一部をイツキさんにお支払いしますので！」

それって売り上げ次第では、僕の口座にかなりのお金が振り込まれることになるんじゃ。

いやいや、まだ唐揚げが爆売れすると決まったわけじゃない。

セセリアがこんな反応をするということは、屋台で料理として出せばそれなりに稼げるのかもしれない。

だけど、僕は商売で成り上がりたいわけじゃないしな。

前世の知っているレシピが調理法を伝えるだけで、副収入になるのであれば決して悪いことじゃないな。

「構いませんよ」

「ありがとうございます。では、条件の詳細を詰めて——」

「まあまあ、イッキはまだ飯を食ってねえんだ。そういう細かい話は後にしようぜ」

「すみませんでした。つい、興奮してしまって……お恥ずかしいです」

ディアスがポンと背中を叩くと、前のめりになっていたセセリアが顔を赤くする。

セセリアにもこんな一面があったとは意外だ。商売のタネになりそうなものは見逃さない彼女のこの精神が商会を大きくさせたのだろうな。

「ほら、唐揚げは私が見ておくからイッキも食べて」

「では、お言葉に甘えて」

シルファが交代を買って出てくれたので、僕は自分の皿に唐揚げを盛り付けてシートの上に座った。

「いただきます」

両手を合わせると、唐揚げにフォークを刺して口へ運ぶ。

衣がサクッと音を立てて、内側から力強い鶏肉の旨みが弾け出した。

レッドコンドルのモモ肉はとても引き締まっており程よい弾力がある。

歯を突き立てると肉の線維はほろりと崩れ、口の中で溶けていくようだった。

「柔らかくて美味しい！」

外はパリッと中はしっとりと。

まさしく、僕の思い浮かべた唐揚げの理想的な味だった。

醬油はないものの、塩、胡椒、ニンニクなどのシンプルな味付けがしっかりと利いている。

代用として使ったビールだが、しっかりと肉の臭みを取ってくれた上に柔らかくジューシーにしてくれたようだ。

「まったく、昼になんてもんを出してくれるんだ。酒が欲しくて仕方がねえぞ！」

ディアスが唐揚げを口にしながら悔しそうに言う。

絶対に合うと思う。

でも、さすがに今は護衛中だからディアスたちは飲めないだろう。

「ねえ、イツキ！　これ夜も食べたい！」

「ワッフ！　ワッフ！」

ミリアリアだけでなく、シロウも同意するように吠える。

「夜もですか？　さすがに重くないですか？」

「そんなことはねえ！　酒があればいくらでもイケる！」

「というか、護衛中なのにお酒を飲んでいいんですか？」

「この辺の魔物はそれほど強くねえしな。ちょっとくらいなら大丈夫だ」

それ、絶対にちょっとじゃ済まない気がするんだけど。

今も食べている最中なのに、もう次のメニューを催促するとは気が早い。

どれだけ唐揚げを気に入ったんだろう。

「もう唐揚げがなくなりそうだな」

気が付くと、大皿に盛りつけられた唐揚げはすっかりと減っていた。

まだ皆の胃袋は膨れていない様子。

そろそろ次の分を投入するべきだろう。

自分の唐揚げを食べ終わったので鍋の様子を見に向かう。

「シルファさん、唐揚げの様子はどうですか？」

僕が近づいていくと、シルファがわたわたと動いて背中に鍋を隠す。

「……シルファさん？」

怪訝《けげん》に思ってもう一度声をかけると、シルファは観念したような顔になる。

「ご、ごめんなさい。唐揚げ焦がしちゃった」

鍋を覗き込むと、すっかりと衣が黒くなってしまった唐揚げが浮かんでいた。

「本当に料理ができないんですね」

「あう……」

思わず漏れた僕の言葉にシルファがショックを受ける。

普段の振る舞いも落ち着いており、魔物と戦う時はあんなにも凜としているのに唐揚げを焦がしてしまうギャップが面白かった。

●

翌朝。目を覚ました僕はむくりと上体を起こした。

大きく伸びをすると、暗闇の中でシロウの黄色い瞳が輝いていた。

既にお目覚めであるシロウに挨拶をし、顎の下をくいくいと指で撫でてあげる。

すると、シロウは気持ちよさそうに瞳を細め、ご機嫌そうに尻尾を振った。

幌《ほろ》の隙間から外の様子をうかがってみると、空が白じんでいた。

太陽が昇ったばかりの早朝。出発をするにはまだ早い時間であるが、すっかりと目が覚めちゃったな。

「散歩でもしようか」

「ワッフ！」

荷馬車の中ではバクがまだ眠っているというか、休眠状態になっている。

眠りについたバクはちょっとやそっとのことで起きることはない。

バクだけ置いていくのも可哀想なので肩に乗せて連れていくことにした。

外は非常に静かだ。セセリアをはじめとする従業員たちもまだ眠っているらしい。

「おはよう！」

「おはようございます、ミリアリアさん」

屋根から顔を出してミリアリアが挨拶をしてくる。

朝番であるミリアリアはしっかりと起きていたようだ。

それにしても、彼女は移動している時もほとんど屋根の上にいる。高いところが好きみたいだ。

「ディアスさんとシルファさんは？」

「ディアスはまだ寝てるよ。シルファは散歩」

「そうですか。ディアスさん、昨日かなり呑んでましたけど二日酔いとか大丈夫ですかね？」

「大丈夫！　お酒には強いし、仕事中だからセーブしてたから！」

「あれでセーブしていたんですね」

皆の要望通り、昨晩も唐揚げパーティーを開催した。

魔物が少ない安全地帯ということや、夜ということもあってディアスはお酒をかなり呑んでいた。具体的な量は自身のマジックバッグに入れていた樽の中身が無くなるくらいに。

それで手加減していたなんて信じられない。一体、どれだけお酒に強いというのか。

なんて会話をしていると、シロウがそわそわとし出した。

「じゃあ、僕たちは散歩に行ってきます」

「いってらっしゃーい」

ミリアリアもシロウの様子に気づいたのか苦笑しながら見送ってくれた。

「ワッフ！」

森の中を歩いていると、シロウが野草の前で吠えた。

何か面白いものでも見つけたのかもしれない。僕も近寄って覗き込む。

「不思議な形をした野草だ」


『トラモラ草』

円形がいくつも集まったかのような不思議な葉の形をした野草。

乾燥させて煮出すと、清涼感と渋みのあるお茶になる。


試しに採取をしてみると、マジックバッグによる鑑定機能が教えてくれた。

食後や休憩中に飲むと、いい気分転換になりそうだ。

「煮出すとお茶になるみたい。教えてくれてありがとう」

シロウはマジックバッグのようなスキルはないが、本能的に食べられそうなものを教えてくれるのでとても助かる。

周辺に生えているトラモラ草を収納すると、再び歩き出す。

シロウは初めて訪れる森に興味津々だ。

ねじれた木の根を引っ掻いてみたり、見慣れない植物を観察したり、七色の蝶を追いかけてみたりと実に気ままに動き回っている。

ある程度の自由があるとはいえ、移動になれば馬車のペースに合わせることになる。シロウは優しく、賢いのでこちらのリズムに合わせてくれるが、それが窮屈であることに変わりはない。だから、こういう時間にリフレッシュしてもらえたらと思う。

森の中をしばらく歩き回っていると、不意に魔力の気配を感じた。

気になったのでそちらに足を向けると視界の開けた湖へと出てきた。

湖畔《こはん》には杖を手にしたシルファがおり、魔力の放出によって金色の髪を揺らめかせていた。

魔法使いとしての訓練だろうか？

視線を向けていると、シルファが杖を下ろしてこちらへ視線を向けた。

「いらっしゃい」

どうやら僕が見ていたのはバレバレのようだ。

「すみません。シルファさんがどんなことをしているか気になっちゃって」

「魔力喚起よ」

「……魔力喚起ですか？」

「魔力を活性化させて全身に流しているのよ。魔力操作の練習でもあるし、魔法を使う前の準備運動のようなものね」

「なるほど。勉強になります」

僕も魔力を循環させたりして自主練習はするが、準備運動の役割になることは知らなかったな。

シルファの口ぶりからして、戦闘前にこれをするのとしないのでは差がありそうだ。

「イツキは誰に魔法を教えてもらったの？」

女神からの手紙でコツを少し教えてもらったが、直接的に師事をしてもらったとはいえない。基礎的なことはほとんどが教本頼りだ。

「魔法教本を読みながら独学です」

「ええ？　独学でそこまで魔力を高めることができるの⁉」

「僕の魔力って、一般的な人と比べると多いですか？」

「多いなんてものじゃないわよ。軽く私の五倍はあるわ」

「なるほど」

「頷いているけど、すごさがよくわかってないでしょ？」

「すみません。あまり他の魔法使いを知らないもので」

思わず苦笑いをすると、シルファが懇切丁寧に教えてくれる。

エルフ族は魔法適性が高く、保有している魔力量も生まれながらにかなり高い。

そんなエルフ族の中でもシルファはかなり魔力が多い部類だというのに、人間族である僕がここまで多くの魔力を有しているのは異常というレベルのようだ。

「五倍っていうのは漏れ出ている魔力からの推測で、本当はもっと多いんでしょうけどね」

「あの、漏れ出してるってどういうことです？」

僕が尋ねると、シルファが意外そうに目を丸くした。

「イツキは魔力操作が苦手なのかしら？」

「はい。おおまかな操作はできますが、細かい操作はまだ苦手です」

「イツキの身体から魔力が漏れているわよ」

「え？　そうなんですか？」

「ほら、私の身体からはほとんど漏れていないでしょ？」

魔力の流れを意識しながらシルファを見ると、魔力が薄っすらと身体を覆っていた。

「本当だ。透明な水のように澄んでいてとても綺麗です」

「ッ⁉　あ、ありがとう」

素直な感想を告げると、シルファは顔が少し赤くなった。

ちょっと照れたみたいだ。

照れくささを誤魔化すようにシルファが咳払いをする。

「少しくらいなら漏れていても問題ないけど、イツキの場合は盛大に漏れ過ぎね。それじゃあ、魔力を無駄にしているし、自然回復も遅くなるわ」

改めて自分の身体を見下ろしてみると、僕の身体を覆っている魔力は炎のように揺らいでおり、かなり放出されているようだった。

「……本当ですね」

一度認識をすると、妙に恥ずかしさがある。出してはいけないものを出しているような。

まるで、社会の窓を全開にしていたような恥ずかしさだ。

「魔力のコントロールは保有している魔力が多いほど難しいから仕方がないことだけどね。良かったら、いくつかメニューを教えてあげるわよ。参考になるかはわからないけど」

「ぜひ、お願いします」

僕はあくまで魔力が多いだけの新米魔法使いだ。

シルファのような熟練の魔法使いに教えてもらえるのはとてもありがたい。

「こんな感じね。魔力のコントロールの仕方は人によって様々だからイッキに合うものだけを取り入れてくれたらいいから」

「ありがとうございます」

魔力喚起、魔力放出、魔力循環といった基礎的なものから、緻密《ちみつ》な魔力操作をするための練習法などをいくつか教えてもらった。

こういった細かい練習法は教本にもあまり書いていなかったのでとても助かる。

「私からもイッキに質問をしたいんだけどいいかしら？」

「なんでしょう？」

「魔力を増やすのにコツとかあるの？」

シルファの問いかけにどう答えたものか迷う。

前世のことを言っても信じられないだろうし、言ったところでどうしようもない。

「常に魔力を圧縮し続けることでしょうか？　魔力を一点に集中させ、常に奥へと留めておくんです」

悩んだ末に僕は前世のことや事情を省《はぶ》き、魔力を抑えるためにやっていた工夫を話してみることにした。

僕の魔力量が多くなったのは二十六年もの間、魔力を圧縮して抑えつけることができたからだと女神は言っていた。

だとすれば、僕の魔力総量が多いのは幼少の頃から魔力を圧縮していたからだと推察できる。

「それくらいなら私もしているけど……」

「次は布を折りたたむように小さくし、とても小さな箱に閉じ込めるようなイメージですかね」

「え？」

「それができたら小さな箱をプレスし、空いたスペースに同じように圧縮した箱をドンドン詰め込んではプレスして入れていくような」

「ちょ、ちょっと待って。そんなことをすれば、身体にかなりの負担がかかるわ。もしかして、子供の頃からそれを繰り返していたの？」

「そうしないと身体が壊れていたもので」

もし、それをしていなかったら僕はもっと小さな頃に熱に呑まれて亡くなっていたことだろう。

たとえ、その工程が苦しかったとしてもやらないと死ぬとわかっていれば、やるしかない。

「あっ、今はもう大丈夫ですよ？　元気な身体になったので」

今は平気だということを伝えると、緊張していたシルファの表情が柔らかいものになった。

「なるほど。イツキの魔力が膨大な理由がわかったわ。世の中には私なんかよりも努力をしている人がいるのね。もっと頑張らないと」

僕なんかのアドバイスが役に立つかはわからないが、シルファが少しでも前向きになれたのなら嬉しいものだ。

「これでEランクっていうのが納得できないわ。フェンリルのシロウだっているし、普通にランク詐欺でしょ」

「あはは、まだギルドに登録して日が浅いもので。これからも皆さんから学ばせていただけたらと思います」

7話　レッドコンドルのポトフ

シルファと共に馬車へ戻り、皆で朝食を済ませると僕たちはバルドルへの道のりを再開させた。

馬車が進んでいる間に僕がやるべきことはなく、暇だったので魔力操作の練習でもしておく。

目を瞑《つむ》り、体内の魔力へと深く意識を向ける。

魔力を想起させ、全身へと行き渡らせる。

この時に大事なのが定まった魔力量を流すことだ。

自らの呼吸のリズムと血液の流れを意識する。

魔力が多過ぎても少な過ぎてもダメだし、循環させるスピードが速くても、遅過ぎてもダメ。一定量を一定の速度で。常に自分の中で自在にコントロールするのが大事だ。

それを三十分ほど行っていると、ふと目の前にミリアリアが座っているのに気が付いた。

「わっ、ミリアリアさん」

「にゃはは、やっと気づいた」

「いつからいたんですか？」

「五分くらい前かな？」

全然気づかなかった。

まあ、魔力操作に集中していたから当たり前といえば当たり前か。

それにしてもこの人は頻繁に僕のところにやってくるな。

一応は護衛中のはずなのだが暇なのだろうか？

抜くところは抜いてやるべきところはやる人だと知っているが、少しだけ心配になる。

「ねえ、イッキ。シロウに触ってもいい？　フェンリルの毛並みがどんなものか気になるんだー」

「シロウの許可が出ればお好きにどうぞ」

「もふらせて！」

僕がそう言うと、ミリアリアは素早くシロウに近づいて頼み込んだ。

「ワッフ」

「やったー！　ありがとう！」

シロウがこくりと頷くと、ミリアリアは抱き着いた。

「にゃー！　もふもふに包まれて幸せ！　お父さんとお母さんの尻尾に包まれて眠っていた子供の頃を思い出すよ！」

すりすりとシロウの体毛に顔を埋めて幸せそうにするミリアリア。

獣の遺伝子を引き継いでいる獣人にとっては、シロウのようなもふもふに触れることで安心したりする効果があるのかもしれない。

シロウの首回りを撫でたり、お腹の毛をぽふぽふと軽く叩いてみたり、全身でよりかかってみたりとミリアリアは全力で堪能している模様。

「その撫で方よさそうですね」

ミリアリアが耳の後ろと丁寧に撫でると、シロウは目を細めている。

「この耳の後ろは撫でられると気持ちいいんだ」

「こうですか?」

「そうそう! そんな感じ! それが最高だよ! ほら、シロウもリラックスしてる!」

ミリアリアの撫で方を真似してみると、シロウがさらに気持ちよさそうにする。

自身の経験も入っているのだろうか。獣人の撫で方は違うな。

二人で撫でていると、シロウの体からすっかり力が抜けたのかペタンと座り込んでいた。

表情もとても柔らかい。完全にリラックスしている証だ。

大きな獣を手なずけたようで達成感がすごい。

シロウがとてもリラックスしているようなので僕とミリアリアは撫でるのをやめた。

シロウをたっぷりと撫でることができて満足したのか、ミリアリアもご機嫌だ。

橙色の尻尾が後ろでくねくねと揺れている。

「尻尾に熱い視線を感じるねー」

「すみません。獣人を目にする機会が少なくて」

「シロウを撫でさせてくれたお礼に尻尾くらい触らせてあげたいところだけど、獣人の尻尾を触るのは特別な意味合いになっちゃうからねー。イッキが責任をとってくれるっていうんなら考えなくもないけど」

「…………や、やめておきます」

残念ながら獣人の尻尾はかなりデリケートな部位のようだ。

彼女の口ぶりから触れられるのは家族か恋人くらいなのだろう。

そんなところを会って間もない僕が触るわけにはいかない。ものすごく残念だけど。

「ものすごく残念そうだね？　イッキって、獣人の女の子がタイプ？」

「いや、そういうわけではないと思います」

あらゆるもふもふが好きなことを認めるが、そこまで節操がないわけではない。そうだと思いたい。

そんな風にミリアリアと雑談をしながら過ごしていると、馬車がゆっくりと速度を落として停車した。

「お昼の時間だ！」

魔物などの襲来がない限り、馬車が無意味に止まることはない。

従って馬車が止まるのは休憩を兼ねた食事となる。

バクは僕の肩へと飛び乗り、シロウも食事の合図だと察したのかむくりと身を起こして外に出た。

凝り固まった筋肉をほぐすように伸びをすると、僕の傍にミリアリア、シルファ、ディアス、セセリアがやってきた。

食材とお金を手にして集まってくれれば、彼らが何を求めているかわかる。

「はいはい。また昼食を作ってほしいんですね？　いいですよ」

「助かるぜ！　いやー、すっかりイツキの飯にはまってよ！」

「イツキの作ってくれるご飯が娯楽《ごらく》であり楽しみだわ」

人数が増えたとしても料理を作る手間はそれほど変わらないし、僕の料理を食べたいと言ってくれるのはシンプルに嬉しいからね。

「今日は何を作ろうかな」

「「唐揚げ！」」

スライムシートを敷きながら呟くと、ディアス、ミリアリアから強い要望の声が上がる。

「さすがに連続過ぎるので却下です」

今朝は食べなかったとはいえ、昨日の昼と夜にもたくさん食べた。

唐揚げも好きな僕でもさすがに遠慮したい頻度である。

「私もそろそろ落ち着いた味のものが食べたいですね」

「野菜の入ったスープとか食べたい」

セセリアとシルファも同じ気持ちなのか、唐揚げと言い出したディアスとミリアリアにげんなりした様子だった。

「じゃあ、今日はゴロゴロ野菜のポトフにしましょう。ボリュームが欲しい人向けに少し焼き串も作ります」

「おお、そりゃいいな！」

両方の要望をある程度満たせるメニューを提案すると、それぞれが喜んだ。

メニューが決まったところで僕は調理道具や食材などをマジックバッグから取り出す。

「お手伝いしてもいいですか？」

「では、野菜の下処理とカットをお願いします」

「任せてください！」

『巨人の剣』のメンバーとは違い、セセリアは少し調理ができるみたいなのでニンジンとタマネギのカットを任せる。

僕はジャガイモを水で洗って乱切りにし、キャベツを大き目に切る。

「俺たちにも手伝えることはあるか？　あんまり難しいことは無理だが」

ポトフの準備をしていると、ディアスが声をかけてくる。

ポトフの作業についてはセセリアだけで十分に足りているので、焼き鳥の下処理をお願いすることにしよう。

「では、レッドコンドルの肉を食べやすくカットして、串に刺してもらえますか？」

「わかった。任せろ」

「それならできるわ。多分……」

なんだか後ろにいるシルファが不穏な言葉を漏らしているが、さすがに簡単な作業なのでできると信じたい。ディアスとミリアリアが付いているし。

食材のカットが終えたら、魔道コンロにセットした鍋にオリーブオイルを垂らしてレッドコンドルのモモ肉を炒める。

ジュウウッと油の弾ける音がし、モモ肉から脂がじんわりと出てくる。

脂が出てこなくなりモモ肉に焼き色がついたらスライスしたニンニクを入れる。

ニンニクが焦げやすいので十五秒くらいで火を止めると、カットしたジャガイモ、ニンジン、タマネギ、キャベツなどを投入。塩などの調味料を入れると再び点火。

通常はここで水を入れるところだが、僕はここで蒸し焼きにして野菜の水分を引き出すことにしている。そうすることで野菜の甘みや旨みをたくさん感じることができるからだ。

野菜全体にモモ肉の脂が絡まったら弱火にし、蓋をして蒸し焼きにする。

様子を見て何度か軽くかき混ぜて蒸す。

蓋を開けると、真っ白な蒸気が上がっていく。

「わっ、いい野菜の香りですね」

見守っていたセセリアが柔らかい表情になる。

鍋の中にある野菜には焼き色がついており香ばしい匂いを放っていた。

ここでは僕は昨日から用意していた鶏ガラスープを投入。

ローリエを折って、香りが出やすいようにすると、蓋をして煮込む。

五分ほど煮込んだら最後にブロッコリーを投入して、一分ほど煮込めば完成だ。

「焼き串の方はいかがです？」

「なんとか串打ちが終わったところだ」

こちらの調理が終わったので様子を確認すると、ディアスが若干疲労困憊《こんぱい》気味に答えた。

バットの中を見てみると、レッドコンドルのモモ肉、胸肉、皮などが串打ちされていた。

「ありがとうございます」

ちょうどポトフが完成したので鍋を下ろし、魔道コンロの上に網を設置する。

その上に焼き鳥を並べていく。

「あとはポトフを食べながら焼けるのを待ちましょう」

「そうだな！　さっきからいい匂いがして腹が減って仕方がねえぜ！」

ディアスの意見に賛成なのか円を描くように皆が座っていく。

シロウもそこに加わり、バクも僕の肩から降りて鎮座した。

ポトフの鍋を開けると感嘆の声が上がった。

お皿を受け取ると、僕は皆の分をよそってあげる。

「それじゃあ、食うか！」

全員にポトフが行き渡るとディアスの声を皮切りにしてスプーンを手にした。

「うめえ！　なんだこれ⁉　俺の知っているポトフと全然違うぞ！」

「野菜の甘みと旨みがしっかりと感じられるわ」

「にゃー！　スープもとんでもなく美味しい！」

ディアス、シルファ、ミリアリアが口々に反応を示す。

「本当に美味しいですね。イツキさんは料理人としてもやっていけそうです」

セセリアがスープを口にしながらそんな感想を漏らす。

ほんわかとした表情をしているが、目がキラリと輝いている気がする。

僕はあくまで冒険者で料理人にはならないよ？

「シロウとバクも美味しいかい？」

「ワッフ！」

尋ねると、シロウは元気良く頷き、バクも味わうようにして食べている。

ディアスたちだけじゃなく、シロウとバクも本当に美味しそうに食べてくれるので作った側も冥利《みょうり》に尽きる。

いつか世界中を旅して世帯を持つことになったら街で小さなレストランをやってみるのも悪くないかもしれない。

なんてことを考えながら僕もポトフを食べる。

あっさりとした風味ながらもコクのある味わいだ。

レッドコンドルの旨みがしっかりと出ている。そこに蒸し焼きにした野菜のエキスがしっかりと出ているのでスープのレベルが高い。

ごろごろとしたジャガイモはとても甘く、口の中でほろりと崩れていく。

ニンジンやタマネギは柔らかく、スープの旨みを良く吸っている。

キャベツは柔らかいながらもシャキッとした食感が残っており、食感に彩《いろどり》を持たせてくれていた。ブロッコリーは色合いも綺麗でほのかな甘みがホッとさせてくれる。

「本当に美味しいわ。このスープは一体どうやって作っているの？」

「レッドコンドルの出汁を使っています」

「出汁ってそんなものいつの間に作ったの？」

「暇な時にちょちょいと」

レッドコンドルのガラ、ショウガ、ネギ、水で煮詰め、灰汁《あく》を取って濾《こ》すだけなので作るのは簡単だ。持っておけば料理に使えるし、塩、胡椒を加えるだけでそのままスープとしていただけるので非常に使い勝手が良くてオススメだ。

「良かったら少し分けましょうか？　具材さえあれば、出汁で煮込むだけでそれなりの味になりますよ」

「ありがとう！　助かるわ！」

そんな提案をすると、シルファがこちらの手を握って感謝をしてくる。

綺麗な顔立ちをしているシルファに接近されてしまうと、さすがにドキッとしてしまう。

料理が不得意なメンツで構成された『巨人の剣』にとって、食料事情はかなり深刻なようだ。

「もう俺たちはてんで料理がダメでなぁ」

「保存食だけじゃ、長期の依頼なんかはしんどいもんね。へとへとになって力も出ないし」

「でも、今回はイツキが料理を作ってくれたお陰でパフォーマンスは最高だわ。苦手とはいっても私たちも自力でなんとかできるようにしないとね」

今回、僕と旅をすることによって、ディアスたちはいかに美味しい料理が活力を与えてくれるか身をもって理解したらしい。

料理が苦手ではあるものの苦手なりに改善できるように努力するそうだ。

そんな風に食べて会話しながら串をひっくり返していると、レッドコンドルの肉が焼き上がった。

「こっちもうめえな！」

「おーいしー！」

ディアス、ミリアリアが実に美味しそうに頬張る。

シロウとバクも器用に串からお肉を外しながら自分で食べていた。

最初から串から肉を外してあげないといけなかったが、僕やディアス、ミリアリアが食べる様子を見て、串のまま食べる方法を会得したようだ。

味付けはシンプルに塩のみだが、それがレッドコンドルの旨みを際立たせてくれているようだった。

全員に串を配り終わったところで僕もレッドコンドルの串焼きを食べてみる。

モモ肉には程よい脂がのっており、むっちりとした歯応えだ。

胸肉はあっさりとしているが、中から旨みがにじみ出てくるよう。

皮は表面がカリッとしていて香ばしく、皮独特の柔らかさが食べていて楽しい。

どれも美味しいな。

そうやって皆で味わっていると、ポトフも串焼きもあっという間に平らげてしまった。

「はあー、今回も美味かったな！」

「もうイツキの料理の食べられない冒険なんて考えられない」

「まだ二日目だけど、すっかりとイツキの料理の虜になっちゃったわね」

ディアス、ミリアリア、シルファが満足そうな顔で言う。

そう言ってもらえると作ったこちら側も嬉しいものだ。

●

セセリアの馬車に同乗し、ディアスたちに護衛してもらいながら進むことしばらく。

「イツキ、バルドルが見えてきたわ！」

シルファに言われて、僕は荷馬車から顔を出して外の景色を確認する。

すると、前方にはレイルズよりもはるかに大きな外壁がそびえたっていた。

視界の果てまで外壁が延びている。

城門へと並ぶ商人、行商人、業者などの数も桁違いだ。

間違いなくレイルズよりも街としての規模が大きいだろう。

「どうしたの？　新しい街に到着した割にはあまり嬉しそうには見えないわね？」

「バルドルに着いたのは嬉しいですが、シルファさんたちとの旅も終わりだと思うと少し寂しくて」

『巨人の剣』のメンバーとの道中は、僕にとってはとても楽しい旅行のようなものだった。

身体が弱くて修学旅行などに行けなかった僕にとって、友人との長期旅行は初めての経験ばかりでとても新鮮だった。綺麗な景色を共有することが、なにげない雑談をすることが、一緒に料理を作って味わうことがとても楽しかったのだ。

だけど、そんな時間も目的地に着いたことで終わりを告げることになる。

「確かにこの旅は終わることになるけど、そう悲観することもないわ」

「俺たちもしばらくはバルドルで活動するつもりだしな」

「にゃー！　ギルドに行けばいつでも会えるよ！」

「それは嬉しいですね」

てっきりディアスたちは別の街に向かうか、レイルズに戻るものだとばかり思っていたので嬉しい情報だ。知らない街に一人でも知り合いがいると安心できるからね。

「なあ、イツキ。良かったらうちのパーティーに入らねえか？」

「僕がですか？」

ディアスを見ると、その表情は真剣そのもので茶化している雰囲気はない。

まさか僕がBランクである『巨人の剣』のメンバーに誘われるとは思っていなかったので驚いてしまう。

「ああ、これはシルファとミリアリアとも話し合ったことでな。従魔の力を抜きにしてもイツキなら俺たちの実力についていける。どうだ？」

ディアスたちとの冒険はきっと楽しいだろう。

世界中を旅するという僕の夢に重なっている部分はあるが、すべてが重なっているわけでもない。彼らには彼らの目的があり、やりたいことだってあるはずだ。

僕の個人的な事情や気分に付き合わせていては、彼らのやりたいことから遠ざかってしまうだろう。

お互いの目標やペースが違う以上、無理に合わせてもストレスがかかるだけだ。

「……とても嬉しいお誘いですが僕にはシロウとバクがいますし、なにより自由に世界を旅する夢があるので」

一番大事なのは僕自身の自由と一緒に付いてきてくれるシロウやバクの存在だからね。

「そうか。残念だ……本当に本当に残念だ」

「にゃー、終わりだー」

「振られたのね。私たち……」

「あ、ちょっと。そんなに落ち込まないでくださいよ！」

断った瞬間にディアスが膝を突き、ミリアリアが項垂《うなだ》れ、シルファが悲壮な表情を浮かべる。

そこまで大袈裟にされると断ったこっちが罪悪感を抱いてしまう。

「イツキの美味しいご飯が今後は食べられないのね」

「シルファさん、ポトフを食べてた時はパーティーの食料事情を改善してみせるって言ってたじゃないですか？」

「確かに言ったわね。でも、最善はイツキが加入してくれて毎日美味しい料理を作ってくれることだったのよ」

あの時の決意に満ちた表情はなんだったのか。

その瞬間に抱いた畏敬《いけい》の念を返してほしい。

「イッキが入ってくれれば、自動的にシロウやバクもうちの子になって毎日もふり放題、ぷにぷにし放題だったのに」

ミリアリアが名残《なごり》惜しいとばかりにシロウに抱き着き、シルファがギュッとバクを抱きしめた。

二人ともシロウとバクが気に入ったのかことあるごとに僕たちの荷馬車にやってきていたもんね。もふもふとぷにぷにの癒しを知った後に、別れるのはさぞかし辛いに違いない。

「バルドルに着きました！」

パーティーの勧誘を断っている間に、検問は終わったらしく僕たちはぬるっとバルドルへ入ったようだ。

「イツキさんはどうされますか？」

「冒険者ギルドに向かって従魔の泊まれる宿を紹介してもらおうと思います」

「そうですか。では、ここでお別れですね」

同乗する料金は既に払っている。というか、ここまでの食事のほとんどを僕が用意し、その対価を貰っているので運賃以上に稼ぐ結果となってしまっていた。

なんか普通の旅とは違う気がしたけど、楽しかったしお金も増えたので文句はない。

「また落ち着いたらお店に顔を出させてください」

「唐揚げの件もありますし、ぜひともよろしくお願いします！」

お店に行くのが遅くなったらセセリアの方から出向いてきそうだな。なるべく遅くならないように気をつけよう。

「俺たちは『黄金杯』っていう宿にいる。困ったことがあったらいつでも声をかけてくれ」

「はい。ありがとうございます！」

ディアス、シルファ、ミリアリアたちに別れを告げると、セセリアの馬車が進みだした。

大通りには僕、シロウ、バクが残される。

二匹ともバルドルの風景に興味津々なのかキョロキョロと首を動かしている。

通りを行きかう人の多さや、種族の多様さもレイルズとは違う。

建築物も四階建て、五階建てといった高い建物が多い。

精肉店、野菜屋、雑貨屋、武具屋なども実に賑やかだった。

「さて、冒険者ギルドに向かおうか」

思いっきり深呼吸をして街の空気を確かめると、僕たちはギルドめがけて歩き出す。

この街にある主要な施設はディアスたちから教えてもらっているので何となく把握している。ここのギルドも中心区にあるようなので大通りを真っ直ぐに歩いていくだけだ。

十分ほど大通りを歩くと、石造りの三階建ての建物が見えてきた。

あれがバルドルの冒険者ギルドだ。

木製だったレイルズのギルドに比べると、重厚感がすごい。

やや重量感のある扉を開けて入ると、冒険者からの視線が集まるのを感じた。

やはり従魔を連れている冒険者は珍しいのだろう。

レイルズよりもたくさんの冒険者がおり、装備しているものも高級そうだ。

バルドル周辺に生息している魔物は手強いので、それを討伐する冒険者も腕利きの者が多いのだろうな。

カウンターに向かう前に僕は掲示板を確認する。

そこにはたくさんの依頼が貼り出されていた。

討伐、採取、雑用などの種類も多岐に渡っている上に数も富《と》んでいる。

近隣の平原や森、少し離れた街、遠い農村地帯の依頼などと距離も様々だ。

美味しい依頼もあれば、もちろんそうでない依頼もある。

見極める難しさはあるだろうが、実力さえあればこちらの方がより多く稼ぐことができそうだな。EランクＤランクの討伐依頼も豊富にあるし。

バルドルでの依頼の傾向を大まかに把握した僕は、宿を紹介してもらうためにカウンターへと向かう。

「レイルズ支部からやってきましたEランク冒険者のイッキです。この街で従魔も一緒に泊まれる宿の紹介をお願いしたいです」

　ギルドカードを提示すると、受付嬢は丁寧にそれを確認する。

「この付近ですと東区画にある『兎の尻尾亭』という宿であれば、問題なく宿泊できるはずです。よろしければ、地図をお渡ししましょうか？」

「お願いします」

　受付嬢から簡易的な地図を貰うと、僕はそれを手にしながら東区画の方へ向かう。

　ギルドから十五分ほど歩くと、『兎の尻尾亭』と描かれている宿を見つけた。

　木でできており、一階部分が大きな食堂になっている。

　まだ日が落ちていない時間だが、そこそこの人数の客が食事を楽しんでいた。

　そんな賑やかな光景の中、異彩を放っているのが兎の耳を生やした従業員たちの姿である。

　バニーガールが目の前を歩いている。いや、実際には僕らが想像するような露出の激しい恰好《かっこう》ではなく、一般的な給仕服に身を包んでいるのだが、なんとなく前世でのイメージのせいで咄嗟《とっさ》に思い浮かべてしまった。

　やはり、従魔も一緒に泊まれる宿になると、魔物や動物に理解のある獣人族が経営する宿になりがちなのだろうな。

「いらっしゃいませ。ご宿泊でしょうか？」

　食堂を眺めていると、紺色の髪をした兎人族の女性が声をかけてくる。

「冒険者ギルドからの紹介でやってきました。こちらの従魔と一緒に泊まりたいのですが問題ないでしょうか？」

「はい！　うちは従魔登録されている魔物ならば大丈夫です！」

シロウの従魔登録を証明する首輪とバクのスカーフを提示すると、僕たちの宿泊は問題なく許可された。

新しい街にやってきてもこうして身分が証明され、こんなにスムーズに施設を利用できるなんてすごいことだよね。

改めて冒険者登録と従魔登録をしておいて良かったと思う。

8話　たまには休息を

バルドルに到着して『兎の尻尾亭』で一夜を明かした僕は、いつも通りにシロウにのしかかられて目を覚ました。

「わっ……シロウは本当にこれが好きだな」

もはや、シロウに覆い被されて起こされるのは日課となっている。

こうすれば僕が確実に起きるとわかっているのだろう。

視界が真っ白なもふもふで埋め尽くされる。

見えないながらも手を動かし、シロウの背中やお腹をワシワシと撫でた。

いつもなら程よく撫でたところで満足して離れるのだが、今日のシロウは一向に離れる気配がない。

僕の太ももの上に顔を乗せて、何かを訴えるようにこちらを見上げている。

加えて枕元で休眠状態になっていたバクも僕の肩へ張り付いてくる。こちらも僕の顔をジーッと見つめて、何かを訴えているようだ。

二匹ともお腹が空いたわけじゃなさそうだ。

空腹だったら喜々として外に出ようとするのがいつものシロウとバクだし。

「……もしかして、外で遊びたい？」

「ワッフ！」

思いつくだろう原因を述べてみると、シロウが耳をピンと立てて顔を上げた。

バクもこくりと頷くような仕草を見せる。

どうやら当たりらしい。

バルドルにやってくるまでの道中ではシロウとバクには僕のペースに合わせてもらっていた。外で運動をする時もあまり馬車から離れないように注意してもらっていたし、制限された生活の中でストレスが溜まってしまったのだろう。

ようやく馬車から解放されたっていうのに、またしても人間の多い街中を歩き回ったり、ギルドに向かって仕事を選ぶのはシロウたちにとってさらに負担で面白くないに違いない。

僕だってもうちょっと自由が欲しいし、休みだって欲しいと思う。

「気づくのが遅くてごめんね。馬車ではシロウとバクに負担をかけたし、今日は仕事のことは忘れてのんびりと遊ぼうか」

そう言うと、シロウはむくりと起き上がって嬉しそうに室内を駆け回り、バクも喜びを表すように粘体質の体を震わせた。

夢や目標があるとはいえ、たまには息抜きもしないとね。

ここ最近の僕はランクを上げることや、食費を稼ぐことに必死になって焦っていたのかもしれない。

別に毎日働いていないと死ぬわけじゃないし、お金だって少しくらいの余裕はある。

ここらでゆっくりと英気を養って、バルドルでの生活に備えよう。

身支度を整え、朝食を手早く済ませると、僕たちはバルドルの外に出た。

バルドルの外には広大な平原が広がっている。街道にはチラチラと依頼へと向かう冒険者らしき姿が見えるが、それ以外の人はほとんど見られない。

「ここなら大きくなってもいいよ」

「ワフン!」

シロウが短く吠えるとシュルシュルと体が大きくし、三メートルほどのサイズになった。

「また大きくなったね」

ここ最近は中型犬から大型犬くらいのサイズを維持してくれているので、ここまで大きくなっているとは思っていなかった。

「久しぶりに一緒に走ろうか」

「ワッフ!」

レイルズにいた頃は毎日東の森まで走っていたが、ここ最近は馬車での移動だったので走行練習はさぼり気味だった。久しぶりに身体強化と魔法を駆使して走るのも悪くない。

僕の提案にシロウはとても乗り気でやる気を漲《みなぎ》らせている。

「ここから走るからしっかりと摑まっていてね？」

声をかけると、バクは粘体質の体を伸ばして僕の首に巻き付いた。

ひんやりとしたものが吸い付いて気持ちがいい。これなら落ちる心配もないだろう。

「じゃあ、行くよ？　ゴー！」

スタートの声を上げると身体強化を使って走り出す。

それと同時に隣にいたシロウも走り出した。

「速っ！」

体が大きくなったからか以前よりも脚力が増していて、一歩一歩の歩幅が大きくなっている。それだけじゃなく筋肉も強くなっているのか一歩の伸びが半端ない。

こちらの想像以上のスピードでシロウが前を走っていく。

後ろを伺うような視線からしてシロウが本気をまったく出していないのは明らかだ。

もっとギアを上げていかないとシロウに突き放されてしまう。

僕は体内にある魔力を活性化させ、さらに足へと魔力を漲らせることによってスピードアップ。

足に多めに魔力を巡らせ、全身にも程よく魔力を巡らせる。

一定の量をしっかりとリズム良く。決して魔力のロスは出さないように。

シルファに教えてもらったことを意識する。

一歩ごとでの進みでは到底敵わないので足の回転数を上げることでカバー。シロウが一歩進むごとに僕は三歩進む。それでようやく僕はシロウの横に並ぶことができた。

横にいる僕を見て、シロウが嬉しそうな顔になるとさらにスピードを上げた。

空を切る音がし、激しく草が舞い上がる。

僕は身体強化で走りながら、風魔法を使用。

荒れ狂う風を魔力操作によって操作し、僕の加速の力へなるようにコントロール。

激しい気流が僕の身体を押し出し、一歩の進みが格段に早くなる。

加速したシロウに追いつくと、今度はシロウも風を纏って加速し始めた。

圧倒的な魔力量と魔力制御技術が上回っているお陰か一気に突き放されることはない。

しかし、僕の魔力がゴリゴリと減っており、それでも徐々に距離が離されつつある。

やはり、走ることに関してはシロウよりも上回ることは難しそうだ。

だから、僕は正攻法として走るのではなく、跳躍することにした。

身体強化と風魔法を維持しながら僕は足元に火魔法を展開。

足元で爆発を起こすとその推進力を利用して大きく前へ。

空中へと飛んだ瞬間に風魔法の出力を上げて、さらに疑似的な飛行距離を延ばす。

そうすることで僕はシロウよりも大きく前に躍《おど》り出ることができた。

着地したらまたすぐに足元で爆発を起こして、さらに前へと跳躍をする。

「ワフウ⁉」

シロウがこちらを見ながら「そんなのアリ⁉」みたいな顔をしているのが面白い。

「どうだ？　これならシロウも僕に追いつけ――」

前に躍り出た僕が挑発の言葉を投げかけるとシロウの体が帯電をはじめ、気が付けば僕よりも遥か前を疾走していた。

「……そんなのアリ？」

走るのではなく跳躍という技を編み出して対抗した僕だが、シロウの新技によってあっけなく追い越されてしまうのだった。

●

競争を終えると、僕たちは小高い丘で休憩をとることにした。

スライムシートを敷くと、僕たちは寝転がる。

「あー、疲れた！」

身体強化をしながら風魔法、火魔法と二つの魔法を重ね掛けしながら走っていたために体力の消耗も激しい。

だけど、普段こんな風に全力を出すことはないので不思議と爽快感もあった。

運動をするのと同じで魔力も激しく使い込むことでストレス解消効果があるのかもし

れない。

仰向けに転がっていると、澄み渡るような青い空が広がる。

遠くで小さな鳥が飛んでおり、柔らかな風が僕の頬を撫でる。

僕の首から離れたバクは、バクバクと草を食《は》んでいた。美味しいのだろうか？

そんな風にボーッとしていると、僕の顔にぽふりと柔らかいものが乗った。

シロウの尻尾だ。こうやって僕にちょっかいをかけてくるのは構ってほしいという合図である。

むくりと上体を起こすと、シロウは完全に起き上がっており期待するような眼差しを向けていた。

……さすがに今から競争というのは無理だ。

身体強化と魔法の重ね掛けのせいか激しい筋肉痛に苛《さいな》まれている。

だけど、シロウはまだまだ遊び足りないようだ。

僕は土魔法を発動すると、平原の土を使って円盤を作り出す。

僕が体力を消費せずに、なおかつシロウが満足感を持って遊べるものと考えて思いついたのがコレだった。

「シロウ！　これを僕が思いっきり投げるから地面に落ちるまでキャッチしてみせて！」

「ワッフ！」

フリスビーを見て小首をかしげていたシロウであるが、用途を説明すると理解したらしく元気良く頷く。

僕はフリスビーを投げた。

水平に回転しながらフリスビーが勢い良く飛んでいく。

シロウはフリスビーを見上げながら素早く走り出し、着地点に入るとジャンプして口でキャッチした。

自分が投げたものをキャッチしてもらうというのは投げた側も気持ちいいものだ。

「おおー！　すごいじゃないか！」

パチパチと手を叩くと、シロウがダッシュで戻ってきてフリスビーを渡してくる。

フリスビーを受け取って頭を撫でてやると、シロウは次を催促するように準備体勢に入る。

どうやらこの遊びが気に入ったらしい。

もう一度フリスビーを構えると、バクが触手を伸ばして僕の腕を突いてきた。

「どうしたのバク？」

振り向くと、バクが形状を変化させてフリスビーの形になった。

「ええ？　バクをフリスビーとして投げろってこと？」

まさかと思って尋ねると、バクは肯定するようにカタカタと体を震わせた。

従魔であるスライムを投げるっていうのはどうなんだろうと疑問に思ったが、戦闘では僕の盾になってくれたりもするので今さらだな。

フリスビーとなったバクを持ち上げてみると、程よい重量感と硬さがある。

土魔法で作ったフリスビーよりも投げやすそうだ。

「じゃあ、投げるよ？」

バクに言い聞かせるようにして僕は構える。

さっきの高さと速さだとシロウは簡単にキャッチできてしまうので難易度を上げることにしよう。

僕はバクフリスビーを構えると、一瞬だけ身体強化を使って思いっきり投げてやる。

それと同時にシロウも走り出した。

高速でバクフリスビーが飛んでいく。

「これはどうかな？」

視線を向けると、シロウは先ほどよりも早く脚を回転させて疾走していた。

途轍《とてつ》もない速さで落下地点への距離を詰めていき、これもキャッチした。

そして、またすぐにこちらへと戻ってきてバクフリスビーを渡してくる。

「バクは大丈夫？」

思いっきり空中にぶん投げられたわけだが、バク自身はとても楽しかったようでイキイキとしている。それなら問題はないか。

「シロウ！　次はもっと難易度を上げるよ？」

キャッチされるのは嬉しいが、同時にシロウの裏をかいてみたい気持ちも出てきた。

これだけ速く飛ばしてもキャッチされるなら別方向のアプローチをした方がいいかもしれない。

「……ワッフ！」

シロウも僕が何かしらの仕掛けをしてくると気づいてか、姿勢をより低くして僕のことをジーッと見つめた。

数秒ほど睨み合うと、僕は身体強化を発動しながらバクフリスビーを投げる。

シロウが飛んでいくバクフリスビーの軌道を予測して前に走り出すが、僕の腕からフリスビーが放たれることはない。

僕はフリスビーを投げたフリをして風魔法で後方へとバクフリスビーを飛ばしていたからだ。

「ワフゥ⁉」

別方向に飛んでいくバクフリスビーに気づいたのか、シロウは急いで反転すると風魔法を纏って走り出す。

今回のバクフリスビーは落下が速く、シロウが取りづらいように低空飛行にしている。

魔法を使って本気で走っているシロウだが、バクフリスビーの落下には間に合わない。

僕が出し抜いたことを確信すると、シロウは身体をしゅるしゅると体を小さくし、足元に火の魔方陣を展開すると爆発を起こす。

推進力を得たシロウはあっという間にバクフリスビーまで詰め寄り、なんとか空中でキャッチすることに成功した。

「ええー⁉」

完全に出し抜いたと思ったのにバクフリスビーをキャッチされたこと、短時間で僕の魔法運用が盗まれて習得されてしまったこと。二重の意味での驚愕が僕を襲った。

僕があんぐりする中、シロウは優雅な足取りで戻ってくるのだった。

相棒のスペックが高いと、それに付いていく主人が大変だよ。

この日は日が暮れるまでバクフリスビーを投げることになった。

●

翌朝。僕たちは宿で朝食を食べると、中央区にある冒険者ギルドに向かっていた。

「さて、今日はお仕事をしますか！」

「ワッフ！」

昨日は思いっきり外で遊んだからかシロウやバクもご機嫌だ。

シロウは心なしか毛並みが良く、バクは体の表面がつやつやしている気がする。

やっぱり、たまには息抜きも大事だね。

これからは定期的にああいった遊ぶ時間も確保することにしよう。

冒険者ギルドにたどり着くと、僕たちは依頼を確認するべく掲示板へと向かう。

バルドルの掲示板にはたくさんの依頼が貼り出されている。

ここまで量があると選別するのも大変だ。

「あの、イツキさんですよね？　少々こちらで話があるのですが……」

依頼の選別をしていると、受付嬢に声をかけられた。

まだこちらにやってきて三日目。ギルドで依頼は一度も受けていないし、何か悪いことをした覚えがないのだが。

怪訝に思いながら受付嬢に付いていってカウンターまで移動。

「お話というのは一体？」

「昨日、冒険者本部から通達がきたのですが、イツキさんが従魔にされているのはフェンリルとグラトリースライムでお間違いないでしょうか？」

おそるおそるといった様子で受付嬢が尋ねてくる。

どうやら僕たちの存在は冒険者ギルド本部から各支部へと通達がなされたらしい。

「間違いないです」

「な、なるほど……」

こくりと頷くと、受付嬢がわかりやすく表情を強張らせた。

目の前に伝説級の魔物が二匹もいるとなればビビってしまうのも無理はない。

まあ、当人であるシロウは受付嬢に興味がなさそうに毛づくろいをしており、もう片方は何を考えているのかわからない表情で虚空《こくう》を見つめている。

多分、ギルドの内装に使われている石材はどんな味がするんだろうとか考えているのだと思うけど。

「バルドル支部としましてはイッキさんに適切な依頼をお勧めしたいと考えておりまして――」

やたらと低姿勢な受付嬢の言葉を要約すると、フェンリルとグラトニースライムを従えているEランク冒険者なんて怖くて仕方がないので、さっさと依頼をこなしてランクを上げてくださいということだった。非常にわかりやすい。

「ギルドの思惑《おもわく》はわかりましたが、こちらとしても紹介される依頼次第としか言えないのですが……」

いくらシロウとバクがいるといっても、いきなり高度な依頼は受けられないし、リスクが高い依頼は受けたくない。確かにランクは高いに越したことはないし、お金もほしいが大きなリスクを負ってまでこだわっているわけではない。

「そうおっしゃると思いまして、複数の依頼をご用意いたしました」

僕の回答を予想していたのか、受付嬢は動揺することなくいくつかの依頼書を提示してくる。

どれもDランクの依頼だ。

中にはEランク寄りのものあれば、Cランク寄りのものもあるので、その辺りは僕が自由に選んでいいようだ。

　じっくりと依頼内容を確認し、わからないことは受付嬢へと質問する。

「このクイーンビーの討伐にはサブ報酬として黄金蜜の納品と書かれていますが、これはどういうものです？」

「クイーンビーの巣には黄金蜜という美味な蜜を蓄えておりまして、そちらは王侯貴族の方々にとても人気なのです」

　美味な蜜と聞いて、足元で寝転がっていたシロウがすくっと起き上がり、天井を見つめていたバクが依頼書へと視線を落とした。

　魔物を討伐してギルドからの評価が上がるだけでなく、美味しい蜜まで手に入るとあれば選ばない理由はない。シロウとバクもすっかりと黄金蜜を食べるつもりだ。

「では、このクイーンビーの討伐でお願いします」

「ありがとうございます。それでは受注の手続きを進めさせていただきます」

　クイーンビーの討伐は限りなくCに近いDランクの依頼だが、僕たちであれば問題ないだろう。

「あの、一瓶だけでもいいのでできればギルドにも納品していただけると助かります」

　手続きが終わると、受付嬢がどこか懇願するような表情を浮かべた。

　やってきて間もない僕たちにも丁寧に対応し、こちらの質問にも答えてくれた。

　僕たちはまだ街にやってきたばかり。今後、どのような迷惑をかけるかもわからないので心証を良くしておいた方がいいだろう。

「わかりました。ギルドの分もできるだけ確保します」

「助かります！」

了承の旨を伝えると、受付嬢はホッとしたような笑みを浮かべた。

お偉い方々に人気な食材だけあって圧力がすごいのだろうな。

どこの世界も板挟みにあっている人は大変なようだ。

●

僕たちは街を出ると、バルドルから西へと進んだ先にある森にやってきていた。

徒歩で移動すれば時間がかかるが、僕とシロウの足ならば二十分程度なのでウォーミングアップにちょうどいい。

西の森は森というよりジャングルに近い見た目で、あちこちで蔦《つた》がぶら下がっていたり、木の根が隆起していたりと足場が悪めだった。

枝葉が深く生い茂っているために視界も悪く、魔物にとって過ごしやすい地形だろう。

そんな鬱蒼とした森の中を僕、シロウ、バクは突き進んでいく。

視界は悪いがシロウが聴覚と嗅覚を頼りに索敵をしてくれるので、それほど臆病になる必要はない。

森の中を突き進んでいると、前を歩いていたシロウが耳を震わせて足を止めた。

シロウが魔物の気配を察知した時の合図だ。

程なくすると、前方から低い羽音のようなものが聞こえた。

身を低くして茂みに身を隠すと、前方から大きな蜂が三匹やってきた。

羽を合わせると全長一メートルくらいだろうか。

一般的な蜂とは比べものにならない大きさだ。

クイーンビーは奥地にある巣で子を産み、蜜を作り出すのが役割なので、こいつらは巣を守る役割をもったキラービーに違いない。

無機質な大きな瞳が周囲を睥睨《へいげい》し、触覚が忙しなく動く。

尻尾には針があり、刺されると神経毒を注入されるのだが、あんな太い針に刺されては毒以前の問題だろうな。

キラービーたちは絶えず羽音を響かせ、周囲の情報を拾うように巡回していく。

三匹とも常に一定の距離を保っていて離れる様子はない。

彼らは巣の周りを警戒する斥候《せっこう》のような役割を持っているのだろう。

ここで迂回したとしても巣を目指している以上、どこかで鉢合わせる可能性がある。

「ここで倒しちゃおう」

囁くとシロウとバクがこくりと頷いた。

巣にたどり着いて戦闘がはじまった時に後ろから挟まれても面倒だからね。

三匹のキラービーが僕たちの傍を通り抜け、後ろを見せたところで僕は風魔法を発動した。

「風刃！」

魔方陣から射出された翡翠色の刃が、キラービーを切り刻む。

しかし、一匹だけ勘のいい個体が直前に振り向いたことで位置がずれ、片方の羽だけを切り裂くにとどまった。

体をぐらつかせながらもキラービーがこちらに突進してくるが、横からバクが食らいついたのかキラービーの横腹に大きな穴が開いた。

横合いからの致命傷によりキラービーは活動を停止し、地面へと落下した。

「助かったよ、バク」

カバーをしてくれるバクを労うように撫でる。

常に浮いている相手というのは、こちらが思ってもいない動きをするものだな。

ちょっとしたずれで魔法が外れることがあるので注意が必要だ。

反省をしていると、バクが横穴をぶち抜いたキラービーを献上するかのように持ってくる。

「ああ、その個体は食べてもいいよ」

バクの活躍で倒すことのできた個体だからね。

すると、バクは大きく口を開けて一口でキラービーを食べた。

僕が用意した食事は味わって食べるのに、魔物を食べる時は本当に豪快だ。

感心していると、シロウが二匹のキラービーを持ってきてくれたのでそのままマジックバッグに収納した。

ここで素材などの剝ぎ取りをしていると、他の斥候をしている個体に見つかる可能性があるからね。解体は後にしよう。

三匹の処理を済ませると、僕たちはその場を後にして前に進む。

十分ほど奥に進むと、僕でもハッキリと感じ取れるくらいの腐臭《ふしゅう》が漂ってきた。

「……なんだこれ？」

僕以上に嗅覚の鋭敏なシロウは顔をしかめている。

クイーンビーやキラービーがこのような臭いを放つといった習性は受付嬢からも聞いていない。おそらくまったく別の要因だろう。

すぐに回れ右をしたいところだが、これだけの臭いを放つ存在が気になる。

「少し様子を見てくるよ。辛いならシロウは待っていてもいいよ？」

「……ワッフ」

気を遣《つか》っての言葉だったが、シロウは「平気」とでも言うように歩き出した。

僕に付き合って付いてきてくれるらしい。

臭いの原因となる方向に進んでいくと、当然、より腐臭は強くなるが僕たちは気合いで我慢して足を前へと伸ばす。

やがて、開けた場所にたどり着くと、大きな熊が死体となって転がっていた。

その大きな体つきと、全身を覆うような頑丈そうな甲殻《こうかく》からして明らかに魔物だろう。

そんな甲殻は無残にひしゃげ、腹の辺りを見事に食いちぎられている。

明らかにキラービーやクイーンビーの仕業《しわざ》とは思えない。

キラービーには強靱《きょうじん》な牙はあれど、この熊の魔物を豪快に食い千切ることができるほど強力とは思えないからだ。同じく蜂の姿をしているクイーンビーも同じだろう。

冒険者と戦ったというより、他のもっと強大な魔物との戦闘に敗れたといったところ。

「念のために採取しておくか」

ギルドの報告材料としての意味だけでなく、この熊がどのような存在かを確かめるために折れていた爪を採取。


『鎧熊』

バルドルの西側の森の奥地に生息している熊型の魔物。

獰猛な性格をしており、縄張りに入ってきたものに襲いかかる。

冒険者ギルドの定めた討伐ランクはB。


討伐ランクBの魔物が死体となっているということは、少なくともそれと張り合う危険度の魔物、あるいはそれ以上の魔物がどこかにいる可能性がある。

幸いにしてこの死体は、かなりの時間が経過しているために近くにいることはないだろう。

でも、少し不穏な気配がする。

それに普段は奥地に生息しているはずの鎧熊とやらが、こんな浅い地点に出てきているのも気になった。

この異常事態を伝えるために街に戻るべきだろうか？

「ワッフ！　ワッフ！」

悩んでいると、シロウが「自分がいるから問題ない」と主張するように吠えた。

「そうだね。僕たちなら何かあっても逃げることはできるし、問題ないかな」

たとえ、鎧熊以上の魔物が出てきても僕たちならすぐに逃げることができる。速さでは僕たちに敵う奴は早々いない。それだけは自信を持って言えた。

とはいえ、油断は禁物だ。

僕たちは警戒しながら移動を再開することにした。

●

鎧熊を倒した謎の魔物を警戒しながら進んだ僕たちであるが、あれからそれらしい魔物の気配や痕跡はまったくなく、気が付けばクイーンビーの巣にたどり着いた。

目の前では直径十メートルほどの球状の蜂の巣がぶら下がっており、巣の下には粘度の高い黄金色の蜜が細い糸のように垂れていた。

「あれが黄金蜜！　すごい！　こんなに距離があっても甘い香りがする！」

黄金蜜の芳醇《ほうじゅん》な香りと甘い香りが鼻孔《びこう》をくすぐる。

呼吸をする度にそれらが肺に取り込まれ、自分の吐き出す息すら甘くなったように感じた。

シロウも尻尾をブンブンと横に振っており、バクは吸い込まれるようにして滴る黄金蜜を凝視していた。

そんな僕らを現実に戻すかのように低い羽音が響き渡る。

巣の上部には全長三メートル近くを誇るクイーンビーが君臨しており、周囲には女王と巣を守護するかのように大量のキラービーが飛んでいた。

十匹や二十匹どころじゃない、百匹に迫る数のキラービーが浮遊している。

だけど、恐れる必要はない。

僕には膨大な魔力だってあるし、傍にはシロウとバクがいる。

敵が多いからといって逃げ出す必要はない。

キラービーが一斉に羽音を響かせて、こちらへ迫ってくる。

僕たちを巣に害を成す外敵だと認識したのだろう。

それは紛《まぎ》れもない事実だけど、大人しく排除されてやるわけにはいかない。

僕たちはその巣から滴り落ちる黄金蜜を是非とも食べてみたいのだから。

僕はキラービーの群れをギリギリまで引き付けると、準備していた火魔法を発動。

「炎嵐！」

僕たちを中心として炎の嵐が出現し、襲いかかってきたキラービーの群れを無慈悲に焼き尽くす。

自然物の多い森の中で火魔法を使うのは火事のおそれがあるのでご法度《はっと》であるが、完璧に制御ができているのであれば問題ない。

事実、僕が魔法を解除しても火の粉一つとして周囲の木々はおろか枝葉に火がつくことはなかった。

まあ、仮に引火したとしても水魔法で鎮火するんだけどね。

「おおー、一気にキラービーが燃えた」

ぼとぼとと炭化したキラービーの遺体が地面に落下する。

今の一撃で群れの半分以上を倒すことができた。

数が多いということは魔法での殲滅《せんめつ》がとても有効だということ。

大勢の魔物を相手するのは僕にとって非常に相性がいい。

僕の魔法を見て、キラービーが怖気《おじけ》づいた動きを見せる。

相手が停滞しているのであれば、こちらから仕掛けるまでだ。

シロウがキラービーの群れに走り出す。

キラービーはシロウから離れようと高度を上げるが、シロウは周囲にある木々を足場として跳躍し、宙に浮いているキラービーを爪で切り裂いた。

落下で無防備になっているシロウ目掛けて他のキラービーが攻撃を仕掛ける。

だけど、後衛の僕がそんなの許すわけがない。

「大風刃」

悠々《ゆうゆう》と魔法を組み上げることができた僕は、シロウに突撃しているキラービーの群れに風刃の乱舞を叩きつけた。

僕の射出した風刃は一匹を切断しただけでは止まらず、その奥にいる個体たちをも切り裂いた。

魔力を多めに込めて威力と範囲を上げているので効果は絶大だ。

キラービーの中には僕たちの後ろを取ろうとして動いた群れもいたが、羽や体の一部らしきものが転がっていることからバクが食べてくれたようだ。地味に助かる。

「さて、もうすぐでキラービーが片付いて……」

数が少なくなってきたキラービーに安心していると、巣の上部にたたずんでいたクイーンビーが大きく羽を震わせた。

すると、それと共鳴するかのように周囲で大量の羽音が響き渡って姿を現す。

どうやら外に出させていたキラービーたちを呼び戻したようだ。

こうならないように斥候はできるだけ潰していたのだが、僕の予想を上回る数が外に出ていたらしい。

「シロウ！」

これだけの数を相手に一か所に留まるのは自殺行為だ。

僕が声を上げると、シロウはすぐに傍に寄って身を伏せてくれる。

シロウの背中にまたがると、シロウはすぐにその場から走り出した。

キラービーが後ろから接近してくる。

僕はシロウにまたがりながら魔法を組み上げて後ろへ風刃を放つ。

キラービーが三匹ほどバラバラになるが、すぐにその隙間を埋めるようにして他の個体がやってくる。

最初の時のように炎嵐を放つことができればいいのだが、さすがにこれだけ動き回っている中で火事を起こさないように発動するのは難しい。

シルファほど魔力制御が上手かったら余裕なのだろうけど、僕もまだまだ修行が足りない。

後ろからだけでなく、左右からも挟み込むようにしてキラービーが迫る。

僕は挟み込まれないように魔法を発動しようとするが、シロウが突如スピードを上げたために魔法は中断。

タイミングがずれればシロウに被弾する可能性もあった。

僕が魔法を発動するタイミングがわからないシロウではない。

「ワッフ！」

思わず視線を向けると、シロウがチラリとこちらに視線を向けて短く吠えた。

まるで回避のことは任せろと言わんばかりに。

「そうだね。そういうことは全部シロウに任せて、僕は余計なことを考えずに魔法で殲滅することだけを考えるよ」

シロウが前衛で僕が後衛だ。

前のことはシロウに任せて、僕は思いっきり魔法を放てばいい。

ただそれだけだ。

開き直った僕はややこしいことは考えず、魔法を組み上げてキラービーを処理することにした。

「無衝撃球」

キラービーは俊敏性こそ高いが、防御面はかなり脆《もろ》い。

僕の風刃では明らかにオーバーキル。

僕であれば、大抵は一撃なので無駄に魔力を消費する必要はない。

無衝撃球を大量に生成すると、僕はキラービーへと放った。

当然、キラービーは魔法を回避しようとするが、僕はその回避先を読んで魔法を動かして直撃させた。

あちこちでキラービーの破片が落下していく。

キラービーたちがまたも押し寄せてくるが、その度に僕は大量の無衝撃球をぶつけることで処理をしていく。

通常ならこんな芸当は実戦ではできない。

すべての回避運動はシロウが行ってくれており、僕はただ跨って魔法を発動するだけだ。

すべてのリソースを魔法だけに使っているからできる技と言えるだろう。

「あとはクイーンだけだね」

気が付けば巣を守護していたキラービーはいなくなり、残っているのはクイーンビーだけとなっていた。

手下が一掃されたので逃げだすことも予想していたが、クイーンビーは怖気づくことなく立ち向かってきた。

大きな羽音を響かせて接近してくる。

シロウの背中から無衝撃球を放つが、クイーンビーは見事なスライドで回避する。

体の大きさとは裏腹にその飛行速度と反応速度はキラービー以上だ。

クイーンビーは膨らんだお腹から大きな針を出して、一直線に突撃してくる。

シロウはそれをステップで回避。低い羽音が僕のすぐ傍を通り過ぎる。

攻撃が空ぶったことによってクイーンビーの長大な羽が木々に激突するが、木々の方がスパッと切断された。

高速で振動している羽が高周波ブレードのようになっているのかもしれない。

針はもちろんのこと、あの羽に当たってもアウトだな。

クイーンビーはすぐに旋回すると、今度は腹部に生えた棘《とげ》を射出してきた。

「バク!」

僕が声を上げると、首に巻き付いていたバクがふわりと宙に飛び上がった。

バクは体を大きく広げて射出された棘を受け止めると、口を大きく開けてお返しとばかりに棘を吐き出した。

「ッ⁉」

まさか、スライムがそのようなことをしてくると思っていなかったのか、クイーンビーは驚愕の反応を見せて棘に体を撃ち抜かれる。

すると、クイーンビーの動きが目に見えて悪くなった。

三メートルもの体躯《たいく》を誇るクイーンビーが、自身の小さな棘で致命傷になることはないはず。

「ああ、神経毒か!」

キラービーの尻尾の針には神経毒が含まれていた。それよりも上位個体であるクイーンビーにはそれ以上の神経毒が含まれていてもおかしくはない。

バクのカウンター技が思わぬ形で突き刺さったと言えるだろう。

相手が毒で弱っているのであればチャンスだ。

相手の動きが鈍ったところへシロウが接近する。

すると、クイーンビーが動き出し、振動させた羽を薙《な》ぎ払うように動かす。

自身の毒で抵抗力があったのでまだ動くことができたのだろう。

予想外の動きを見せたが、シロウは狼狽《うろた》えることなく自身の爪で迎え撃った。

羽が半ばから折れ、クイーンビーがガクリと大きく体勢を崩した。

シロウが打ち勝つことを信じていた僕は、既にとどめとなる魔法を準備していた。

「大無衝撃球！」

僕が多めの魔力を込めて放った大きな無衝撃球は、クイーンビーのお腹へと直撃して弾け飛んだ。

●

クイーンビーの亡骸をマジックバッグに回収する。

クイーンビーが倒されると僅《わず》かながら残っていたキラービーは逃げ出してしまい、僕らの周りに魔物はいなくなってしまった。

「さて、お楽しみの時間だ！」

周囲に魔物がいないのであれば、あとはクイーンビーが残してくれた黄金蜜を採取するのみだ。僕たちからすると、こっちの方が本日のメインイベントだと言えるだろう。

シロウとバクは既に黄金蜜の傍へと移動していた。

「せっかくなら一番美味しいところを食べようよ」

巣から滴り落ちる黄金の蜜を今にも舐めたそうにしているが、滴り落ちている蜜には僅かながらに不純物が混ざっている。そこを味わうよりも内部にある綺麗な蜜の方が美味しいだろう。

今にも食べたそうにしている二匹を宥めて、僕はぶら下がっている球状の巣にナイフを突き立てた。

ザクッと刃が突き刺さる。それなりの硬度があるのかサクサクと表面を削ることはできないが、何度かナイフを突き立てると亀裂が入ってくれた。

亀裂を広げるようにしてナイフを突き立てると、大きな巣の破片を取り出すことができた。

「うわあ、綺麗だ！」

「ワッフ！　ワッフ！」

取り出したクイーンビーの巣の破片にはべったりと黄金色の蜜がついている。

滴り落ちていた蜜よりも黄金の輝きが強く、蜜自体の色合いも透き通っているようだった。

これにはシロウとバクも目を輝かせる。

破片をマジックバッグに収納してみると、破片ごと食べられることがわかった。

「食べてみよう！」

大きな巣の破片を三等分にすると、僕とシロウ、バクはそのまま食べた。

齧りつくと中から暴力的なまでの甘さをした蜂蜜が出てくる。

その量はこちらの想像を越えており、まるで口の中に蜂蜜の濁流が押し寄せてくるかのよう。

「甘い！」

「ワフゥ！」

これにはシロウとバクも大歓喜である。

ねっとりとした甘さにくらっとしそうになるが不思議とスッキリとしており、後味のしつこさは感じなかった。だけど、余韻としての味は舌と脳に鮮烈に残っている。

なるほど。これなら甘いのが苦手な人でも美味しく味わえる。

王侯貴族の方たちが欲しがるのも納得の味だ。

「巣の破片もザクザクでいいね！」

巣の破片自体にはそれほどの味はないが、ザクザクとした歯応えがウエハースのようで楽しい。

空洞が黄金蜜をしっかりと受け止めてくれており相性もバッチリだな。

シロウはぺろぺろと舌で蜜を味わいながらも、時折破片をガリガリと食べてコンビネーションを味わっているようだ。

バクは黄金蜜をゆっくりと体内で味わっているからか表面が黄金色に輝いていた。

美味しい蜜が採れるとのことで合いそうな食材を持ってきてはいるが、これはこのまま味わうのがよさそうだな。

「おっと、ギルドに納品する分も採取しておかないと」

あまりにも美味し過ぎるが故に僕たちですべて食べてしまいそうだ。

特に初めての甘味にシロウとバクはすっかりと魅了されたのか、気に入り方が半端ではなかった。

直径十メートルほどの大きさを誇る巣であるが、内包されている黄金蜜はそこまで多いわけじゃない。

後回しにしておくとすべて平らげてしまわれそうなので今の内にギルドへの納品分と個人的な分を採取しておくことにした。

これだけ巨大な巣だと街に持ち帰って解体するのも一苦労だしね。

マジックバッグから瓶を用意して綺麗な黄金蜜を採取する。

ギルドへの納品分には三本もあれば十分だろう。受付嬢は一本でもあればと言っていたし。

その他にもお裾分け用として小さめの瓶で蜜を採取しておくことにする。

セセリアのお店に出向いた際にお土産に渡したり、ディアス、シルファ、ミリアリアと再会した時に渡せば喜んでくれるかもしれないな。

あとはおやつとして食べる分を確保し、僕が料理で自由に使うための分などを大きな瓶に入れて確保しておく。

一連の作業が終わって一息がつくころには巣の破片と黄金蜜がかなり減っていた。

シロウは器用に爪を使って破片を切り出してお代わりをしており、バクは直接齧りついて食べている。

「わあ！　シロウ、バク！　僕の分も残しておいてよ！」

食いしん坊な従魔たちに食べ尽くされないように僕は急いで黄金蜜をお代わりするのだった。

●

クイーンビーを討伐した僕たちはバルドルに戻り、依頼の達成と黄金蜜の納品をするために冒険者ギルドに戻った。

「ありがとうございます！　黄金蜜の納品とても助かりました！」

クイーンビーの討伐証明部位を提出し、サブ報酬である黄金蜜を提出すると、受付嬢がとても嬉しそうな笑みを浮かべた。

なんだかクイーンビーの討伐よりも黄金蜜を採取してきたことの方が喜ばれているような気がするけど、事情を考えれば仕方がないか。

「こちらの金貨四十枚が報酬となります」

「とても多いですね」

「特に今は黄金蜜が品薄で値段が高騰《こうとう》していましたので……」

クイーンビーの討伐は金貨二十枚。そこに素材、魔石などの買い取り額が加算されてこの金額となっている。

細かい買い取りの内訳を目にすると、黄金蜜が一瓶で金貨三枚ほどの値段となっていた。

ここからギルドが販売するとなるとさらに高値になる。

だけど、それくらいの金額を出しても手に入れたいと思う人がたくさんいるのだろうな。

「お支払いは以上となりますが、何か気になるところはございますか？」

「報酬とは違うのですが、西の森で気になったことがありまして……」

忘れない内に僕は受付嬢に気になっていたことを報告する。

クイーンビーの巣を捜索している途中、奥地に生息しているはずの鎧熊の死骸が浅い場所で見つかったことを。証拠として鎧熊の爪を提出しながら。

「情報の提供ありがとうございます。なるほど。森の異変は西の森でも起きているのですね」

「西の森でも？」

「はい。こういった異変は最近バルドルの各地で確認されているのです」

受付嬢から話を聞くと、僕のような報告が複数上がっているらしい。

詳しい原因は解明できていないが、強力な魔物が現れたことによって生態系に変化が起きたのではないかというのがギルドの見解のようだ。

「ギルドとしましては原因の調査を高位冒険者に依頼していますので、しばらくは依頼を控えた方がよろしいかもしれません。もちろん、これはギルド側から強制するものではないので判断はイツキさんにお任せいたします」

とは言ってくれているものの、今の不安定な状況での冒険はリスクが大きそうだ。

依頼をこなすにしても街の中で済む雑用依頼や、近辺での採取依頼にした方が良さそうだな。

受付嬢が伝えてくれた情報に感謝し、僕は冒険者ギルドの外に出た。

ギルドから宿に向かっていると、大通りがいつも以上に賑わっていることに気付いた。

通りの両脇には多くの露店が並んでおり、装飾品、雑貨、日用品、衣服などの品物が並んでいる。見上げるとロープが吊るされており、色とりどりの布や旗のようなものが吊り上げられている。まるで、何かのお祭りのようだ。

「あら、イツキじゃない」

「やっぱり、この匂いはそう！」

気になって足を向けると、後ろから声をかけられた。

振り返ると、『巨人の剣』のメンバーであるシルファとミリアリアがいた。

「シルファさん、ミリアリアさん、こんにちは！　なんだか不思議と久しぶりのような気がしますね」

「一週間ずっと一緒だったものね」

別れてから一週間も経過していないが、不思議と久しぶりという感触が湧いた。

シルファの言う通り、一週間の旅路が濃密だったのだろう。

「この賑わいは何かわかります？」

昨日や一昨日も大通りを通ったが、このような賑わいはなかった。

何かのイベントなのだろうか？

「バザーをやっているわ。バルドルでは十日に一度、開かれるのよ」

「副収入を得るためにやっている人がほとんどだけど、腕利きの職人が道楽で売りに出すこともあるから掘り出し物を見つけることができるよ！」

「へー、それは面白そうですね」

「良かったらイツキも見て回らない？」

「バザーでしか食べられない名物料理もあるよ！」

興味がなさそうにしていたシロウとバクであるが、ミリアリアの一言でピクリと体を震わせた。

従魔の実にわかりやすい態度に僕たちはクスリと笑ってしまう。

「是非お願いします」

シルファとミリアリアに誘われて僕はバザーを見て回ることにした。

●

シルファとミリアリアとバザーを回ることにした僕は、いつもよりも賑わっている大通りを歩く。

「今日はディアスさんは一緒じゃないんですか？」

「彼はこういったものに興味がないから宿で休んでいるわ」

チラリと露店を眺めると、女性が好みそうな雑貨やアクセサリー、ガラス細工などが中心に並んでいる。

こういったものが多いバザーだと、確かにディアスは興味がなさそうだ。

「でも、イツキがいるとわかれば来たがっただろうね」

「宿に戻ったらイツキに会えたって自慢してあげましょう」

ミリアリアとシルファが顔を見合わせて笑い合う。

パーティーを組んでいるだけあって本当に仲良しだ。

「バルドルでの生活はどう？」

「皆さんのお陰で順調に生活ができていますよ」

「もう依頼は受けた？」

「はい。クイーンビーの討伐をこなしました。黄金蜜のお裾分けです」

近況を尋ねてくるシルファとミリアリアに僕はお土産用の黄金蜜を渡した。

黄金色の輝きを放つ蜜を見て、二人が驚愕の表情を浮かべる。

「にゃー！　黄金蜜だ！」

「いいの⁉　この量でも売ればかなりの値打ちになるけど？」

「構いません。『巨人の剣』の皆さんにはお世話になったので」

黄金蜜はギルドでも売却し、マジックバッグの中にたんまりと残っている。

お世話になった人たちに渋ることもない。

「イッキはいい子過ぎるー！」

黄金蜜を手にしたミリアリアが感激のあまり抱き着いてくる。

シルファとは別方向の魅力を持っているし、若干薄着気味なので肌の感触がダイレクトに伝わってきてドキドキしてしまう。

「ありがとう！　私、黄金蜜とても好きなのよね！」

シルファは黄金蜜の瓶を大事そうに抱えている。

軽い手土産のつもりだったけど、想像以上に喜んでもらえて良かった。

シロウ、バク、この黄金蜜は二人のためのものだから、そんな羨ましそうな視線を向けてもダメだからね？　宿に戻ったらまた黄金蜜を食べさせてあげるから。

「にしても、クイーンビーの討伐って結構攻めた依頼を受けたわね。あれってDランクの中でもかなりCに近い難易度の依頼なのだけど」

「実はギルドの職員の方に早めにランクを上げてほしいと勧められたんです」

実際に引き受けることになったきっかけを話すと、シルファとミリアリアが納得したような顔になる。

「イッキ自体も規格外だし、その上フェンリルも従えているとあったら無理もないよね。これでEランクっていうのがおかしいんだもん」

「確かに戦闘能力は高いかもしれませんが、経験や知識は皆さんに大きく劣るので……」

シロウとバクを守るために積極的にランクを上げることを目標としているが、僕としては色々な経験を積んでからゆっくり上げたいのが本音だったりとする。

「イッキは謙虚ね。その年齢でそれだけの実力があれば、もっと傲慢《ごうまん》でもおかしくないのに」

「ギルドにいる小僧たちも見習うべき！」

まあ、一応は人生二回目だし。

自分だけの力だけでなんとかなってきた経験って少ないので傲慢にはなれそうもない。立ち止まっていたらシロウやバクにあっという間に置いていかれてしまうからね。

「依頼の中で気になったんですが、お二人は最近の異常についてご存知です？」

「ああ、森に棲息《せいそく》している魔物の生態系が荒れているって報告よね？」

「それです」

「にゃー、実はついさっきその調査を頼まれたよ」

異常について二人からの見解を聞こうとしたらミリアリアが驚きの事実を告げた。

どうやら明日から異常のあった森を調べて、原因を突き止めるための調査に向かうらしい。

驚きはあるけど『巨人の剣』は紛れもない高位の冒険者だ。

三人が調査に向かってくれるのであれば、僕としても安心だ。

「多分、強力な魔物が出現したことで生態系が荒れているのでしょうね。イッキたちなら大丈夫だとは思うけど、あまり森に深入りはしないことをお勧めするわ」

「そうですね。森が不安定な間は街を散策したり、雑用依頼を受けて大人しくしていようかと思います」

クイーンビーの討伐のお陰で懐はかなり潤っている。

危険が大きい状況でわざわざ森に入ってリスクを負う必要もないからね。

まだまだ街の中の土地勘も薄いし、ゆったりと情報を仕入れるのも悪くない。

「いけない！　せっかくのバザーなのに仕事の話ばかりになってる！」

そんな風に情報交換をしていると、シルファがハッと我に返る。

「あっ、そうでした。色々尋ねてしまってすみません」

「仕事の話はここで終わり！　今からはバザーを楽しもう！」

バザーにやってきているのにまだ露店の一つも見ていない。

仕事についてはもう十分に話したことだし、ここからはバザーを楽しむことにしよう。

仕事モードをオフに切り替えた僕は、賑わっている露店へ視線を向ける。

改めて露店を見てみると色々なものが売っているな。

手作りのタオルやハンカチ、シャツ、ズボンといった衣類のお店や、革だけで作った靴、財布、バッグ、キーケースなどとハンドメイドを中心としたお店も並んでいる。

大通りのお店には並んでいないものが売りに出されていたり、商店街とは違った活気があって歩いているだけでも楽しい。

「あそこの露店で売っているのはなんですか？」

「遊戯《ゆうぎ》札ね」

僕の目に留まったのは、模様のようなものが描かれているカードだ。

シルファから説明を聞いてみると、どうやらトランプのようなもののようだ。

前世のものよりも簡易的な遊び方をするものが多く、ババ抜きや神経衰弱のような遊び方が主流のようだ。

これなら冒険の合間にシロウやバクと一緒に遊べそうだな。

シロウとバクと木札で遊ぶ光景を想像すると、とてもほっこりとする。

僕は店主である青年に声をかけると、遊戯札を一つ購入することにした。

「わっ、綺麗な絵だね！」

「店主の方が手描きで仕上げているようです」

軽く話を聞いてみると、あの青年は絵画を趣味にしているそうだ。

絵画を趣味にしているだけあってとても絵が上手だな。

絵が上手いっていいなぁ。僕も暇な時に練習して絵でも描いてみようか。

シロウやバクを描くだけでも楽しそうだ。

「イツキ、ちょっとあそこに寄っていい？」

「あ、はい」

その目的の露店が何かもわからず反射的に返事してしまう。

シルファが足を向けた先には大量の矢が積み上がっており、エルフの無口そうな男性が突っ立っていた。

「……これなんの露店です？」

「弓矢の露店に決まってるじゃない」

バザーにそんな露店があることに驚きだ。

シルファはメインを魔法にしており、サブとして弓矢を扱っている。

エルフ族は弓矢も得意としている種族なので、それらに目がないのだろう。

「この弓、ハイトレントを使っているの⁉　樹齢は？」

「……二百年だ」

「二百年もの⁉　いい弓を置いてるじゃない！　はっ、こっちには属性矢もある！　稀少属性の氷や雷まで！　すごいわ！」

シルファが黄色い声を上げながら質問をし、寡黙《かもく》な店主が簡潔に答える。

そういった応酬が何度も続く。

「なんかすごいですね」

「完全に世界に入っちゃってるよ」

この露店がとても質のいい物を置いていることは何となくわかるが、弓矢を使うことのない僕とミリアリアにはすごさが伝わらなかった。

シルファと店主の話が専門的過ぎてまるで付いていけない。

「シルファは放っておいてあっちを行こう」

「あ、はい」

同行するといった手前、離れることに申し訳ない気持ちがあったが、僕たちが傍にいても何の役にも立たないことは明らかだ。

僕たちはシルファを置いて、近くにある別の露店を見て回ることにした。

●

ミリアリアと一緒に反対側の露店を覗いてみると、そこにはキラキラとした装飾品が並んでいた。

「この装飾品……ほのかに魔力がこもってます？」

「これは魔石を加工して作っているからね」

「なるほど。魔石でもしっかりと加工するとこんなに綺麗になるんですね」

「良質な魔石は宝石に引けを取らない美しさになるから」

確かにハイゴブリンとクイーンビーの魔石を比べると、後者の方が魔石は透き通っており良質な魔力がこもっていた。魔石の美しさは魔物が宿した魔力と属性によって変化するようだ。

肩に乗っているバクが興味深そうにネックレスに視線を向けた。

それからこちらを伺うような視線を向けてくる。

「この魔石は売り物だから食べちゃダメだよ」

バクは魔石を食べるのが大好きなので、目の前で陳列されているネックレスすら美味しそうな食べ物に見えるのだろう。

「こっちの魔石なら食べてもいいから」

ポケットから魔石を差し出すと、バクは口を開けてパクリと食べた。

もごもごと口を動かし、飴を貰ったかのように堪能している。

「ワッフ！」

「はいはい。シロウにもあげるね」

バクほど積極的に食べることはないが、シロウも魔石は大好きだ。

差し出してやると、シロウは氷を食べているかのようにガリガリと音を立てて食べた。

「にゃー、綺麗だ！」

いくつもの指輪を手にはめたミリアリアがうっとりした顔になる。

「ネックレスなどが好きなんですか？」

「いや、単に光物が好きなだけ！」

きっぱりとしたミリアリアの物言いに思わず苦笑する。

ここまでハッキリと言われると清々しい。

「意外ですね。そういったものに興味はないと思っていました。そういったものを身に着けてもいないですし」

私服姿のミリアリアを眺めてみるが、こういった光物や装飾品を身に着けている様子はまるでない。言動からして光物が大好きって雰囲気もなかったのでとても意外だ。

「うーん、身に着けるってより収集するのが好きかな！　先祖の血のせいか私の家族は皆何かを集めるのが好きなんだよね！」

どうやら獣人としての本能によるもののようだ。

巣に餌を蓄えるリスのようなイメージが脳裏をよぎり、なんだか微笑ましくなった。

ミリアリアはお気に入りの加工魔石を一つ買うと、専門のケースに入れてマジックバッグに収納した。

「さて、シルファの方はどうかな？」

付近の露店を見終わったので改めてシルファが残っていた露店に戻ってみる。

すると、シルファは真剣な顔つきで店主と会話しながら弦を引いていた。

「……あれはまだまだかかりそうだね。あそこにバザー名物のミートパイがあるから一緒に食べようか」

「あっ、いいですね！　そうしましょう！」

あまり離れると合流が難しくなるし、このままボーッと待っているのも勿体《もったい》ない。

露店の前には大勢の人が並んでおり、バザーの名物料理を今か今かと待っている様子だ。

子供から大人まで人気があるのか幅広い客層をしていた。

お客がはけてくると露店の後ろに設置された竈《かまど》が見えており、綺麗な三角形をしたミートパイが過熱されているのが見えた。

店主が使っている竈から木べらを使って取り出すと、小麦の匂いとお肉のジューシーな香りが鼻孔をくすぐった。

明るい土色をしたパイ生地は加熱されて表面が艶々《つやつや》になっている。どれも綺麗な形をしておりとても美味しそうだ。

人数分のミートパイを頼んで受け取ると、僕たちは露店から離れて近くにあるベンチに腰かけた。紙袋から取り出してやり、シロウとバクのお皿へミートパイを載せる。

「美味しそうですね！　早速、いただきましょうか！」

「うん！」

僕とミリアリアは大きく口を開けると、熱々のミートパイにかぶりついた。

「美味しい！」

僕は目を大きく見開いた。

しっかりと焼き上がっている生地はパリパリとしており、歯を突き立てると口の中であっさりと崩れる。

生地の表面には卵黄だけでなく蜜も塗られているのか、ほのかに甘みもあって美味しい。

そして、中からとろとろのグレービーソースが溢れ出し、角切りにされた牛肉、マッシュルーム、タマネギなどの具材が次々と飛び出してくる。

肉の旨みがしっかりと染み込んだソースはとても美味しく、パリパリの生地と混ざり合うことで味が昇華《しょうか》されていた。

「にゃー、やっぱりここのミートパイは美味いよ。バザーは十日に一度でいいけど、このミートパイは毎日でも食べたくなるもん」

「その気持ちわかります。これは毎日食べても飽きない味ですよね。ホッとするといいますか」

「この味の良さがわかるとはイツキは中々にやるね」

ミートパイの中には肉をスパイシーな味付けにしてみたり、奇抜《きばつ》な具材を入れてみたり、酸味の利いたソースをかけてみたりされるが、このミートパイはシンプルな具材と味付けにされているために食べやすい。

刺激的な料理も悪くないが、やっぱり安定して食べるのはこういったシンプルな味付けのものだよね。

「シロウとバクも美味しいかい？」

「ワッフ！」

シロウは耳をピンと立てて、ご機嫌そうに尻尾を振りながらミートパイを食べる。

口から生地が零れ落ちるが、決して地面には落ちていない。

生地の欠片すらも無駄にするつもりがないようだ。

一方、バクは噛み締めるように少しずつ食べている。

口の中でじっくりと味を堪能しているのだろう。

味わい方によってそれぞれの性格が出ているのが面白い。

従魔たちを観察しながらじっくり食べるも、気が付けばミートパイはなくなってしまっていた。

「はぁー、美味しかったですね。素敵な名物料理を紹介してくれてありがとうございます」

「イツキたちが満足してくれたようで私も嬉しいよ」

ため息交じりの声を漏らすと、僕たちの方へ誰かが駆けつけてくる気配が。

「ごめんなさい！　いい物がたくさんあってつい夢中になったわ！」

僕らとは違った満足感が表情に出ている。彼女もいい買い物ができたようだ。

「さて、一休みできたことだし他の露店も見て回ろっか！」

「え？　ちょっと待って！　私のミートパイは⁉」

「ないよ」

「ひどい！」

「露店に長時間張り付いてたシルファが悪い」

「そんなぁ……」

ミリアリアがバッサリと切り捨てると、シルファが崩れ落ちた。

かなりミートパイを食べたかったらしい。

「冗談ですよ？　ちゃんとシルファさんの分も買ってありますから」

「あー、ネタばらしするのが早いよー」

「イツキ！」

僕がマジックバッグからミートパイを取り出すと、シルファは神を見つけたかのような顔を浮かべた。

シルファがミートパイを食べ終わるのを待つと、僕たちはバザー巡りを再開。

シロウとバクの胃袋を満たすにはミートパイ一つでは足りないので、美味しそうな料理があれば適宜《てきぎ》買って食べていく。

そんな風に料理の露店をめぐっていると、ふと嗅ぎ覚えのある匂いがした。

……これは、もしかして醬油？

「あの、すみません。その壺の中にあるものって……」

「これは極東から仕入れた品だ。ショーユっていう調味料であっちではよく使われるソースらしい。だけど、色味が悪いせいかこっちじゃ気味悪がられてなぁ」

やっぱり、醬油だ！

「あの少し味見させてもらえませんか？」

「ええっ、イツキ⁉ そんな真っ黒なソースを口にしたらお腹を壊すわよ？」

「イツキはチャレンジャーだ」

僕が味見させてもらおうとすると、シルファとミリアリアが驚きの表情を浮かべる。

中々に失礼であるが、醬油がどういったものかわからない二人にとっては、この黒い液体が不気味に見えて仕方がないようだ。

「味見させてもらっても」

「あ、ああ。かなり濃い味だからな？」

店主が小皿へ少し垂らすと、僕は入念に香りをかぎ、少しだけ舐めてみる。

間違いなく醬油だ。

「これ、いくつありますか？」

「壺三つ分だ」

「じゃあ、三つともください」

醤油があれば、料理のレパートリーがかなり増える。ここで逃す手はない。

「お、おお！　極東から仕入れた調味料だから金貨四枚になるが……」

「構いません。ください」

「毎度あり！」

たった金貨四枚でこれだけの醤油が手に入るのであれば安いものだ。

僕はポンと金貨四枚を払う。

「イツキ、大丈夫なの？」

「大丈夫です。これはとても使える調味料ですから」

シルファとミリアリアが心配の眼差しを向けてくるが、醤油を使った料理を食べてもらえれば彼女たちも認識を改めるに違いない。

「あの、すみません。その極東って国にお米って食べ物はありませんでしたか？」

「ああ、すまんな。正確に言えば、俺はその国に行ったことがないんだ」

どうやら店主は極東に行ったことはなく、港町で極東に行ったことのある商人から買いつけただけのようでお米については知らない模様。

「そうですか。ありがとうございます」

こうして醤油が手に入ったし、少しであるが極東という国の存在について知ることができた。

それだけでも大きな収穫だ。

この国からかなり離れているみたいだけど、生活が落ち着いたら是非とも足を運んでみたいものだ。

9話　救援要請

シルファとミリアリアとバザーを回った翌日。

僕たちは少し遅めの朝食を食べると、ゆっくりと冒険者ギルドに向かった。

ギルドに入ると、いつもよりもフロアが閑散《かんさん》としている。

今は主な狩り場が不安定になっているので他の冒険者も依頼を受けるのを控えているのだろう。

『巨人の剣』のメンバーたちは今頃、森で調査をしている頃だろう。

彼らの実力が高いことはわかっているけど、討伐ランクがBの鎧熊を倒すほどの魔物がいるかもしれないので心配だ。

だからといってEランクでしかない僕が協力できることは何もない。

僕のランクがCくらいであれば、外部からの助っ人として協力することも問題なかったかもしれない。僕が役に立てなかったとしてもフェンリルであるシロウや、グラトニースライムであるバクなら彼らのレベルでも役に立つことができるかもしれなかった。

「ランクが低いと確かに不便だなぁ」

せめて、次は後悔しないように地道にランクを上げるための努力をしよう。

いつもなら割の良さそうな討伐依頼を受けて外に繰り出すところだが、今は予期せぬリスクを背負うことになるため控える。

従って受けるべき依頼は森に出ない、街の中、あるいは街の傍でできる依頼となる。

僕は掲示板の前に移動すると、貼り出されている依頼書を眺める。

荷物の運搬、手紙の配達、施設の清掃、鉄鉱石の運搬、建築作業の手伝い、迷子のペット探し、庭の雑草抜きと雑用依頼にもたくさんの種類があるようだ。

ペット探しはシロウの鼻を使えば、あっという間に見つけることができるが報酬金額がかなり安いな。庭の雑草抜きなんかはバクに草を食べてもらえればあっという間に終わりそう。だけど、これも報酬額が安い。

清掃業は基本的に僕しかできず、シロウとバクがあまり活躍できないのが難点だ。

「一番効率がいいのはマジックバッグをフル活用できる鉄鉱石の運搬かな」

どれだけの鉄鉱石を運んでほしいのかは明記されていないが、とにかく運べるだけ運んでほしいらしい。運んだ量によって報酬は上乗せするようだ。

シロウとバクは退屈しちゃうけど、鉄鉱石の運搬でいいだろう。

依頼書を引き剝がすと、シロウが器用に体を持ち上げて一枚の依頼書を剝がしてきた。

確認すると、それは手紙の配達の依頼だった。

「え？　こっちの依頼がいいの？」

「ワッフ！　ワッフ！」

シロウが首を横に振った。

「え？　シロウがそれを引き受けてくれるの⁉」

「ワッフ！」

再度尋ねてみると、シロウがそうだとばかりに頷いた。

鉄鉱石の依頼で活躍できないことを悟ったシロウは、自分だけで貢献できる依頼を個別に行ってみたいようだ。

主人と従魔が別々の依頼を受けるなんてアリなんだろうか？

ちょっとわからないのでカウンターへ移動して受付嬢に聞いてみる。

「問題ありませんよ。それも従魔を従える冒険者さんの力となりますので」

「へー、そうなんですね」

「従魔が引き起こしたトラブルはすべて主人に降りかかることになりますが、フェンリルであるシロウさんなら問題はないでしょう」

知能と実力を兼ね備えたシロウなら配達をしてトラブルになることもないな。

首輪がついているので従魔登録をしている魔物だとわかるし、良からぬ者がちょっかいをかけてきても逃げることはたやすい。

受付嬢の人から許可を貰えたので僕は鉄鉱石の運搬と手紙の配達を同時に引き受ける。

ギルドから手紙の入ったポーチを受け取ると、それをシロウの首にかけてやる。

「かわいい！」

フェンリルの配達屋さんだ。

鉄鉱石の運搬なんかするより、シロウが手紙の配達する姿を後ろから見守りたいという衝動がむくむくと湧いてきた。

でも、それじゃあ二つ引き受けた意味がないので僕は泣く泣く諦める。

「こちらが配達先の地図になります」

受付嬢がバルドル市内の地図を渡し、配達地点をマークしてくれる。

「あー、地図を見ながらだとシロウもやりにくいかな」

バクは触手を伸ばして地図を摑むと、シロウの頭の上に乗っかった。

「バクがナビをしてくれるのかな？」

こくりと頷くバク。

鉄鉱石の運搬をやめて、僕も手紙の配達に行ける流れは儚《はかな》く散った。

バクが地図を眺めて行先を効率良く指示し、シロウが走ればスムーズに仕事をこなせるに違いない。

「わかった。それぞれで頑張ろう。終わったらギルドに集合ね」

「ワッフ！」

ポーチを首にかけたシロウはバクを頭に乗せてギルドの外に出ていく。

あっという間に消えていくシロウたちの後ろ姿を見送ると、僕は街の外にある鉱山に向かうことにする。

この世界にやってきて一人っきりになったのは初めてかもしれないな。

そう考えると地味に寂しさがこみ上げてくるが、これも効率良く仕事をこなすために必要なことなのだ。僕も頑張って依頼をこなすとしよう。

東門をくぐって外に出ると、赤茶色の山肌をした鉱山がそびえたっている。

あそこの麓《ふもと》に依頼主のいる採掘場があるのだろう。

僕は身体強化と風魔法を駆使して走る。

最初は身体強化と風魔法による加速を維持するのにかなり集中を要していたが、シロウと競争を繰り返していたお陰かこれくらいなら平然とできるようになったな。

異世界にやってきて一か月が経過したくらいであるが、僕もちゃんと成長できているらしい。

十分ほど走っていると、採掘場にたどり着いた。

採掘場の外にはログハウスが建っており、その裏側には大きな建物が建っていた。

周囲に人の姿が見えないが、ログハウスの前で一休みをしているドワーフがいたので声をかける。

「すみません！　ギルドで鉄鉱石の運搬を引き受けてやってきた冒険者です」

「まずはギルドカードを見せてくれ」

「……Eランクか。随分、なよっちい身体をしてるが大丈夫か？」

僕の全身を見ながらの怪訝な言葉。

今の僕は身体も小さいし、お世辞にもガタイがいいとも言えない。

運搬ができるのかドワーフが心配するのももっともだ。

「魔法が使えますし、マジックバッグを持っていますので」

「マジックバッグを持ってるのに、うちの依頼を受けたのか？」

通常、僕のようなランクでマジックバッグを持っているような者は少ない。

それほどにマジックバッグは高額なため『巨人の剣』のような高位のパーティーでようやく一つを所持できるほど。低ランクで仮に運良く手に入れたとしても、このような雑用依頼は滅多に引き受けないようだ。

「今、付近の森が不安定で他にできる依頼も少ないですし、色々な依頼を経験してみたくて」

「ああ、そういえば、親方たちが森に入るなって言ってたな。なんにせよマジックバッグ持ちなら大歓迎だ。保管所に案内するから付いてこい」

ギルドカードを返却すると、ドワーフはくるりと背を向けて大きな建物へ向かっていく。

後ろを付いていくと、ドワーフは巨大な扉を一人で開けた。

すると、建物の中には鉄鉱石が山積みとなっているのが見えた。

「これを街の精錬所に運んでくれ。ちょっと遠いができるだけ運んでもらえると助かる」

「わかりました」

山積みとなった鉄鉱石に近寄ると、僕はマジックバッグを大きく開けて収納する。

すると、ごっそりと鉄鉱石がなくなり、マジックバッグの内部に収まった。

「――ッ⁉　おい、今どんくらい収納したんだ？」

「おおよそ五百キロくらいでしょうか？　まだまだ入りそうです」

「お前さんのマジックバッグはそんなに入るのか？　高位の冒険者が持ってるのでも精々が二百キロくらいだと聞いたが……」

「かなりいいものを譲り受けたので」

「そ、そうか。まあ、大量に運んでくれるならこちらは大助かりだ」

ドワーフが腕を組んで見守る中、僕は鉄鉱石の収納を続ける。

入れても入れても容量の限界がこない。一体、どれだけ入るのだろう。

山積みになっていた鉄鉱石が消えていくのは気持ちがいい。

「ストップだ！」

夢中になって収納していると、ドワーフの大声が響き渡る。

「え？　もういいんですか？」

「これで十分で往復する必要もない。これ以上、運ばれても精錬所に保管することができねえからな」

てっきり二回から三回は往復するだろうと思っていただけに拍子抜けだ。

まあ、たった一回で終わるようなら楽なのでいいことだな。

僕は意気揚々と走ってバルドルに戻った。

●

バルドルの東区画には職人街が広がっており、下町感が強く漂っていた。

その中にある精錬所にやってくると、あちこちで職人が鉱石の精錬や加工を行っているようだった。

「すみません。ギルドの依頼で鉄鉱石を運搬してきました」

「うん？　鉄鉱石はどこにあるんだ？」

「マジックバッグの中にあります。大量にあるんですが、どこに置いたらいいでしょう？」

「ああ、それならこっちに保管庫がある」

職人らしき男性に案内されて僕は保管庫へと案内されるが、鉄鉱石以外にも鉱石があるせいかスペースが少ない。

「あの、ここだとスペースが足りないと思います」

「うん？　どれだけの量があるんだ？」

「二十トンくらいです」

「二十トンだと!?　そんなバカな!?」

バカなと言われてもマジックバッグの中に収納されているんだから、そうとしか言えない。

「おい、何やってんだ？」

僕が困惑していると、入口からドワーフがやってくる。

「親方！　冒険者が鉄鉱石を二十トンも持ってきたとか言ってまして」

「それが本当なら大事《おおごと》じゃねえか！　急いで大倉庫の方へ案内してやれ！」

「わ、わかりました！　すまん。大倉庫の方へ頼む」

手で運んでいるならちょっとした移動も一苦労だが、マジックバッグに収納している僕に重さは感じない。多少歩くことになっても問題はなかった。

精錬所から少し離れたところに煉瓦造りの大倉庫へと移動した。

大倉庫内には大きなバケツのようなものがぶら下がっており、操作して大量の鉱石を運べるようにしているようだ。興味深い。

「ここに入れてくれ」

「わかりました」

二階へ上がって巨大バケツの傍にやってくると、僕はマジックバッグにある鉄鉱石をすべて解放。ガラガラと音を立てて、鉄鉱石が流れ込んでいく。

「なんて量だ！」

「お前ら大量の鉄鉱石がきたぞ！　急いで精錬の準備に取り掛かれ！」

濁流のように鉄鉱石を流し込み続けていると、親方と呼ばれるドワーフが声を張り上げて、職人たちがわらわらと集まってくる。

大量の鉄鉱石が運び込まれたことが嬉しいのか、大倉庫内はちょっとしたお祭り騒ぎだ。

やがて最後の鉄鉱石を注ぎ終わる。

「これで運び込んだ鉄鉱石はすべてです」

「良くやった！　報酬はこれだ！」

報告をすると、親方と呼ばれるドワーフが金貨五枚を渡してきた。

「え？　多いですよ？」

依頼にあった重量計算よりも遥かに高額だ。

「これだけの量を一気に運んでくれたから色つけたんだ。黙って受け取っとけ」

「ありがとうございます！」

報酬を受け取ると、親方に大倉庫から追い出される。

なんとも乱暴だがこれから忙しくなることを考えれば、部外者はさっさと追い出した方が安全だ。

ちょっとした雑用依頼のつもりがとんでもない稼ぎになった。

これなら毎日でもこなしたいが、採掘場のドワーフにしばらく来なくていいと言われている。非常に残念だ。

まあ、三か月、半年に一回稼げるかもしれない雑用依頼だと捉えればいいか。

●

冒険者ギルドに戻ってくると、既にシロウとバクがフロアでくつろいでいた。

僕が入ってくると、シロウはスッと立ち上がって寄ってくる。

僕は屈むと、シロウの顔を挟み込むようにして撫でた。

「お、シロウたちも依頼が終わったんだ」

ポーチの中を見ると、たくさん入っていた手紙が空になっている。

どうやら既に配り終えたようだ。

僕も依頼が終わっているのでカウンターに向かって達成の報告を行った。

念のためにシロウたちの配達について確認すると、とても迅速に行われたようで届け先でのトラブルもなかったようだ。

従魔が手紙を届けてきたので驚いた人もいるようだが、この街ではたまにあることなのでそこまで騒ぎになることでもなかったよう。

大きな街だけあって住人も寛容《かんよう》なんだな。

「早めに終わったことだし、ランチでも食べに――」

「『巨人の剣』から西の森で救難信号です！　高位の冒険者の方で駆けつけられる方はいませんか⁉」

昼食を食べに外に出かけようとしたタイミングでギルド職員の緊迫した声が響いた。

まったく無関係なものであれば好奇心から耳を傾けるだけだが、今とても聞き覚えのあるパーティー名が聞こえた。

お世話になった知人のパーティーが救難信号を出したとなっては、こちらも落ち着いてはいられない。

「『巨人の剣』のメンバーが危機に救難信号を出すってよっぽどだぜ？」

「俺たちが行ったところで敵うかどうか……」

「それに救難信号の出た地点まで急いでも半日はかかる。今から駆け付けたとしても意味ないだろ」

フロアに残っている冒険者たちに救難の要請をするギルド職員であるが、冒険者たちの反応はかんばしくない。

なにせ『巨人の剣』はバルドルでも数少ないBランクパーティーだ。

そんな彼らが窮地に陥《おちい》る相手となると最低でもBランク、最悪の場合はAランク以上の魔物と相対することになる。ここにいる僅かなBランク、Cランクのパーティーが挑んだところで返り討ちにされる可能性も高い。いくら冒険者とはいえ、他人のためにそこまでリスクを負うことは難しいだろう。

　せめて相手がどのような魔物なのかわかっていれば対策のしようもあるだろうが、そのような情報までは伝わってはいない。

「今、バルドルにいるAランク冒険者たちは？」

「残念ながら他の依頼に出ているため、ここにはいません」

　バルドルは大きな街なので探せばより高位の冒険者がいるかと思ったが、職員たちの会話を聞く限りではいないようだ。

　マズい。このままではディアスたちが命を落とすことになる。

　知人が危機だというのにジッとしてなんていられない。

「僕が行きます！」

「お待ちください。イツキさんと従魔の実力はギルドも評価していますが、さすがに今回の事件を任せることはできません」

　受付嬢の言葉に感情的な返事をしそうになるが、ギルドとしての意見も理解できる。

　高位の魔物の存在が予想される場所にEランクの冒険者を派遣し、さらなる被害を生んだともなればギルドの評判もがた落ちになってしまうだろう。

「……わかりました」

「ご理解いただきありがとうございます」

　悔しげな表情を見せると、受付嬢がホッとしたような顔になった。

だけど、ごめんね。これはブラフで僕は引くつもりなんてないんだ。

僕は落ち込んでいるような表情を浮かべ、とぼとぼとギルドの外に出る。

「シロウ、バク、ちょっといいかな?」

僕が声をかけると、二匹が顔を上げる。

ディアスは冒険者としての僕の実力を一番に認めてくれ、冒険を楽しむための知識をたくさん教えてくれた。

シルファは僕に魔力の扱い方や、魔力操作のための練習を丁寧に教えてくれた。他にもいくつかの便利な魔法や、魔法の応用の仕方を教えてくれた。

ミリアリアは冒険者としての心構えや、楽をするための裏技、ギルドのルールの裏道のようなものとロクでもないことを教えてくれたけど……。

ディアスは兄のようであり、シルファは師匠、ミリアリアは姉のようでとてもいい人たちだ。

「僕は彼らを助けたい。この世界で——いや、前世も含めて初めてできた友達なんだ。だから力を貸してくれるかい?」

ギルドの許しが出ないなら、個人の意思で救援に向かうまでだ。

たとえ、それでギルドから罰則を科せられようが悔いはない。

「ワッフ!」

僕の覚悟を伝えると、シロウとバクはこくりと頷いてくれた。

股下に潜り込んだシロウが僕を背中に乗せてくれた。

シロウが速やかに走り出す。

大通りにはたくさんの人が行き交っているが、それらの間を縫うように駆け抜ける。

一切ぶつかることなく大通りを真っ直ぐに進むと速やかに西門をくぐった。

街の外に出るとシロウの体がグングンと大きくなる。

「シロウ、本気で走っていいよ」

「ウオオオオオオオオオオオオオオンッ！」

今から冒険者が向かったところでたどり着くのは半日先だ。

だけど、シロウの本気のスピードなら一瞬だ。

シロウは大きな咆哮《ほうこう》を上げると、瞬く間に風になった。

●

シロウと共に平原を駆け抜けると、僕たちはあっという間に西の森にたどり着いた。

ここからシロウの嗅覚を頼りにディアスたちを捜索するという作業があったのだが、
奥地で炎が燃え上がっているのが見えた。

間違いない。あそこにディアスたちはいる。

「シロウ、そのまま真っ直ぐに走ってくれ！」

「ワッフ！」

森の中だろうと構わずにシロウは疾走する。

奥へ進んでいく僕たちとは対照に動物や魔物がこちらに逃げ込んでくる。

中には僕たちに襲いかかってくる個体もいるが、それらは僕の魔法とバクが食べることで排除。シロウには走ることだけに集中してもらう。

目的地に近づいていくごとに炎が激しくなる。

既にここら一帯の樹木は炎に呑まれていた。

僕たちが平気なのは風を纏っているからであり、これがなかったら僕の身体は至るところで大火傷《おおやけど》だろうな。

シルファが無作為に火魔法を放つなんてことはあり得ない。仮に火魔法が有用な相手だろうと彼女は完璧な魔力操作をし、こんな風に火事なんて起こすことなく立ち回るはずだ。

きっと相対している魔物が火を操っており、無作為に放っているのだろう。

森の中を突き進んでいると、激しい爆発と咆哮が轟《とどろ》く。かなり近い。

ディアスたちが敗北していれば、こんな風に断続的に戦闘音が響いてくることはない。

ということは、彼らは生存し、戦っているんだ。だったら急がないと。

僕たちの進路を防ぐように焼け落ちた樹木が倒れてくる。

「シロウ、突っ切って！　無衝撃球！」

僕の放った無属性の球は、倒れ込んできた樹木を派手に破砕した。

障害がなくなったことでシロウはスピードを落とすことなく、燃え上がっている茂みを飛び越えた。

すると、開けた大地に着地すると、目の前には真紅の鱗を纏った竜がいた。

全長二十メートルを越しており、蝙蝠《こうもり》のような巨大な翼を広げ、大樹のように頑強な脚で地面に立っている。

ディアスたちに救難信号を出させる魔物なので只者《ただもの》じゃないと思っていたけど、まさかファンタジー生物の代表格である竜だとは思っていなかった。

「「イッキ⁉」」

僕たちが登場すると、すぐ傍から声が上がる。

振り返るとディアス、シルファ、ミリアリアがおり驚愕の表情を浮かべていた。

ディアスとミリアリアの身体には痣《あざ》や火傷があり、かなり負傷している模様。シルファは二人ほど負傷している様子は少ないが、魔力をかなり消費しているのか顔色がかなり悪い。

三人ともボロボロだ。だけど、ちゃんと生きている。その事実が嬉しい。

「救援要請を受けて助けにきました！」

個人的に……という付け足しがあるんだけど、今はそんなことはどうでもいいだろう。

「助けに来てくれたことは嬉しいが、この炎竜はイッキの敵う相手じゃねえ！　逃げろ！」

「嫌です！　仮に逃げるとしたら、それは皆さんと一緒です！」

ディアスが真剣な口調で声を上げるが、そんなことは承知の上でやってきたのだ。

どうせ逃げるならやれるだけやって逃げる。

「皆さんの傷を癒します。ヒール」

僕は速やかに回復魔法を発動させる。

「うお！　回復魔法まで使えるのか⁉」

すると、淡い緑色の光がディアス、シルファ、ミリアリアの身体を包み込んで傷を修復していった。

ちょっとした擦り傷の治療しか使ったことはなかったが、多めに魔力を込めることで何とかすることができたようだ。

「いや、しかし、俺たちの傷が治ったとはいえ――」

「グチグチ言っても仕方ないわよ！　イッキたちが応援にきてくれて私たちの傷も回復したのよ！　いい加減に腹くくりなさいよ、リーダー！」

「本当だ！　ここまで来たからには冒険するのみ！」

「ああもう！　わーったよ！　イッキ、ここまで来たんだ！　力を貸せよ⁉　Ｅランクだからとか泣き言は許さねえからな⁉」

「はい！」

僕たちのことを心配していたディアスだが、シルファとミリアリアからの野次《やじ》で吹っ切ることができたようだ。

素直に頼ってもらえるとこちらとしても嬉しい。

意思統一ができたところで地面に影ができる。

シロウが素早く跳躍すると、僕たちのいた場所を炎竜の尻尾が強く叩いた。

危なかった。シロウの背中に乗っていなかったら反応することができなかっただろう。

三人が救難信号を出す相手だけあって、これまでの魔物とはワケが違う。

だけど、速度ではシロウが優っている。

シロウの速度を生かすには背中に乗っている僕たちは邪魔だ。

そう判断した僕はシロウの背中から降りる。

「シロウは前衛を頼むよ。こっちは任せて好きに暴れてきてくれ！」

「ワッフ！」

「イッキのお陰で回復したんだ。俺たちも前に出るぜ！」

「にゃー！　切り刻んでやるー！」

シロウが前に出ていくと、ディアスが大剣を手にして、ミリアリアが二本の短剣を手にして続くように前に出る。

シロウが果敢に炎竜へと飛び掛かる。

炎竜から繰り出される尻尾による薙ぎ払い。シロウは身を低くして加速すると、そのまま足元へと潜り込んで爪を振った。

ガキイイインッと硬質な物同士が擦れ合う音がした。

傷口を見てみると、シロウの一撃は鱗を大きく切り裂いたものの、その下にある肉までを切り裂くことはできなかったようだ。

シロウは致命傷を与えることができなかったことに驚き、炎竜はたったの一撃で自慢の鱗が切り裂かれたことに驚いているようだった。

炎竜の動揺は僅か。今の一撃で最大の敵をシロウと定めたらしい。

「炎竜さんよ！　足元がお留守だぜ！」

「ていやー！」

シロウへと注意が割かれれば、ディアスとミリアリアの攻撃が足元を中心に加えられる。

炎竜の脚は鱗と強靭な筋肉に覆われているので大きな一撃とはならないが、着実に鱗を削って、小さなものではあるが筋肉にも傷をつけていた。

攻撃に苛立《いらだ》ったのか、炎竜が足を大きく持ち上げて二人を踏みつけんとする。

しかし、その頃には二人は安全圏へと離脱していた。

下へ注意が向かうと、今度はシロウが炎竜の顔に飛びかかる。

目を狙った一撃は僅かに逸れてしまって炎竜の上瞼を浅く切り裂いた。

惜しい。もう少しで片目を持っていくことができたのに。

「ハハハ！　シロウが前にいてくれると心強いな！」

「どこかのリーダーもこれくらい頼り甲斐があると助かるのになぁ」

「おいおい、フェンリルと比べるのは無しだろ⁉」

最前列で注意を引いてくれるシロウがいるお陰か、ディアスとミリアリアはそんな軽口を叩くくらいに余裕があるようだ。

「……すごいですね」

「ええ、本当にシロウが前に出てくれたお陰で前衛の安定度が段違いだわ」

「それもありますが、型破りなシロウと呼吸を合わせられるディアスさんとミリアリアさんがすごいなって」

シロウは誰かと前衛で肩を並べたことはないし、ディアスとミリアリアとパーティーを組んだこともない。それなのにシロウが窮屈せずに自由に暴れ回ることができているのは、ディアスやミリアリアが上手く呼吸を合わせてくれているからだろう。

人間同士ならまだしも型破りな動きをするシロウに合わせることのできる二人がすごい。

「戦いが終わったら褒めてあげて」

「ええ、まずはそのために炎竜を倒さないとですね。僕たちも何か援護をしたいんですが……」

今のところシロウ、ディアス、ミリアリアが順調に炎竜を相手に立ち回っている。

ここで僕が魔法を差し込んだところで邪魔になりそうだし、迂闊に放ってはシロウたちに被弾してしまう可能性もあって手を出すことができない。

「焦ってはダメよ、イツキ。私たちは適切なタイミングで必要な魔法を放てばいいのだから」

これだけ前衛が活躍しているというのに、それを見守っているシルファにはまったく焦りがない。今は自分が動くタイミングではないと判断しているからだろう。

「イツキ、そろそろ炎竜が空に逃げようとするはずだわ。そのタイミングを狙うわよ」

ややもどかしい思いをしながら待機していると、シルファがそう言った。

僕がやってくるまでにずっと対峙していたシルファには、次に炎竜がどのように動き出すか予想ができるようだ。

「わかりました！」

発動する属性を共有しながら、僕たちは魔法を待機させる。

魔法を生成する僕とシルファに炎竜は気づいた様子はない。

僕は土魔法を発動し、魔方陣から巨大な岩の槍を生成する。

ただの岩槍じゃ、炎竜の鱗を貫くことはできない。

魔力を圧縮し、岩を硬化させていく。

さらに先端を鋭利にしていく、回転を加えることで威力の向上を図る。

隣ではシルファが弓を番《つが》えているが、そこに矢はない。

代わりに翡翠《ひすい》色の魔力が矢を象《かたど》り、風の力が収束していく。

魔法で作り出した風の矢だ。

僕たちが魔法の準備をしていると、シルファの言った通りに炎竜が翼をはためかせて空へ上がろうとし始めた。

「今よ！」

シルファが声を上げたタイミングで炎竜の右の翼目掛けて放った。

僕の射出した岩槍は炎竜の翼角《よくかく》を砕いた。

それと同時にシルファも風を纏わせた矢を放ち、僕とは反対側の翼膜《よくまく》に穴を空ける。

炎竜から空気を震わせる悲鳴が上がり、浮力を失った炎竜が地面に落下した。

僕とシルファは続けて岩槍と風矢を放ち、一拍遅らせてシロウは爪を振るい、ディアスが大剣を叩きつけ、ミリアリアが双剣の乱舞をお見舞いする。

度重なる攻撃により、炎竜の体から血が流れ出す。

炎竜の体力だって無限じゃない。このまま押し込んでいけば勝てる。

程なくすると前衛組が離れ、炎竜が翼をばたつかせながらも起き上がった。

炎竜は体勢を整えると、金色の瞳を怒りに染めて咆哮を上げた。

炎竜は大きく首を上げてお腹を膨らませる。

「イツキ、ブレスよ！　ここから離れて！」

「いいえ、無効化するので攻撃の準備を！」

「え、ええ？」

「バク、いけるな？」

シルファたちが戸惑った声を上げる中、バクはこくりと頷くと炎竜の前へと躍り出る。

炎竜の口から燃え盛る炎が発射される。

地面を舐めるようにして一直線に向かってくる炎竜のブレスをバクが食べた。

それはもうバクッと。

「え、ええ？　炎竜のブレスが消えた⁉」

これにはシルファ、ミリアリア、ディアスがあんぐりと口を開けた。

「バクが食べてくれたんです」

「いやいや、スライムの亜種だからってそんなことができるわけねえだろ？」

「バクはグラトニースライムなので」

「はあ⁉　グラトニースライムって、あの伝説の魔物か⁉」

「あれ？　言ってませんでしたっけ？」

「聞いてないわ！」

そういえば、三人の前でバクが活躍するのは初めてだっけ。

普通に言ったものだと思っていた。

まあ、今はバクが何者だろうとどうでもいい。目の前の炎竜に集中だ。

「バク、お返ししてやれ！」

炎竜のブレスを食べて取り込んだバクが、大きく口を開けてブレスを放つ。

炎に対する耐性を持っているが、傷口が痛むのか炎竜はバクのブレスを嫌がっていた。

「土槍」

僕は土槍を五つ生成すると負傷した炎竜の傷口に突き刺していく。

前線組が生み出した負傷箇所をえぐったからか、炎竜が大きく体勢を崩す。

かなり効いたようだ。

「うおおお、イツキたちに活躍を持っていかれて堪るか！　こっちにだってBランクの意地ってやつがあるんだよ！」

「そうだ！　イツキたちに負けないよ！」

僕の魔法で炎竜が怯《ひる》んでいる隙にディアスが大剣を振るって鱗を破砕し、ミリアリアの双剣がそこをさらに抉っていく。

炎竜が怒りの咆哮を上げて、ディアスとミリアリアに噛みつきを繰り出していくが、既に二人は攻撃範囲内にいない。

そして、攻撃を空ぶった炎竜の右目に風の矢が生えた。

シルファの一撃だ。

つんざくような悲鳴が上がる。

「イツキ、あとは任せたわ」

少ない魔力の中で無理をしたのだろう。シルファが青白い顔を浮かべながら地面に片膝をついた。

ここまでお膳立てをされては決めないわけにはいかない。

炎竜が痛みに悶絶《もんぜつ》する中、僕はありったけの魔力を込めて無属性魔法を発動。

「大無衝撃球！」

直径五メートルほどの大きさの無衝撃球は派手に炎竜を吹き飛ばした。

派手に木々を跳ね飛ばしての攻撃に確かな手応えを感じたが、炎竜はまだ生きていた。

そして、炎竜はゆっくりと起き上がると、翼をはためかせて上空へと舞い上がる。

「あいつ！　まだ飛べやがったか⁉」

「飛べないふりをしていたなんてズルい！」

空に飛ばれてしまっては前衛であるディアスとミリアリアにはどうすることもできない。

しかし、僕たちの攻撃はこれで終わりじゃない。

シロウが走り出すのに合わせて僕は土魔法で地面を高く隆起させる。

「いけ！　シロウ！」

足場を駆け上がると、シロウは一気に跳躍して炎竜すらも越えた。

まさか、自らの領域である空で上回られるとは思っていなかったのか炎竜が驚愕の表情を浮かべていた。

シロウは自らの爪に風の力を纏わせると、そのまま落下して炎竜の首を切り裂いた。

　すると、上空から炎竜の体だったものが落下し、遅れて首が地面を叩いた。

　炎竜の体が動くことはなく、瞳の色から輝きが失せていた。

「やりましたね！　皆さん！　――えっ？」

　炎竜がしっかりと動かなくなったことを伝えるために振り返ると、こちらに猛ダッシュしているディアスとミリアリアがおり、僕は押し倒された。

10話　炎竜のリブロースステーキ

「炎竜を倒したっていうのに最初にやるのが血抜きなの？」

　炎竜を倒し終わった僕が、真っ先に行ったことは水魔法を発動しての血抜き処理だった。

　そんな僕の行動を見て、シルファが呆れている。

「炎竜のお肉が食べられるなら、やっぱり食べてみたいじゃないですか」

　炎竜の鱗をマジックバッグに収納してみたところ、炎竜の肉も食べられると鑑定機能が教えてくれたのだ。

「それにシロウとバクも食べたいみたいなので」

　炎竜の肉が食べられるとわかってからはシロウとバクも目の色を変えており、早くご飯を作ってくれとせがんでくるのだ。

　早く炎竜の肉を食べたいみたい。

「まあ、素材の解体だって冒険者の立派な仕事だ。俺たちも朝からずっと戦いっぱなしで腹も減ってるしいいだろ」

「そうそう。シルファだってさっきからお腹がぐうぐう鳴ってるよ？」

「こら、ミリアリア！　余計なこと言わなくていいの！」

ミリアリアがお腹を擦ると、シルファが頬を赤くしながら後退した。

僕のところまでは聞こえていないが、鋭敏な聴覚をしているミリアリアには丸聞こえのようだ。

「よし、これで血抜きは終わり」

「イッキ、炎竜の血には価値があるから捨てないでね」

炎竜から抜いた血液をどうしようかと迷っていると、シルファが声をかけてくる。

「そうなんですか？」

「魔力を多く含んでいるから魔法の触媒、魔道具、錬金術、薬……と使い道は多岐に渡るわ」

どうやらかなり価値のあるものらしい。

言われなかったらそのまま捨てるところだった。

「血液の詰め替えは俺とミリアリアがやっておこう」

ディアスがマジックバッグの中から樽や瓶を取り出し、ミリアリアがそれらを手にして血液を詰めていく。

炎竜がかなり大きいため内包されている血液も膨大なので、仕分けは二人に任せることにしよう。

「なら、私がイツキを手伝うわ」

　残されたシルファがこっちにやってきながら言う。

「……よろしくお願いします」

「ねえ、今ちょっと間が空いてなかった⁉」

「気のせいです」

　三人の中でも特に料理が下手なので若干心配の気持ちが湧いてきたが、そこまで難しい調理をするわけではないので大丈夫だろう。大丈夫だと願いたい。

「まずは食べる部位の解体ね。というか、どこが食べられるのかしら？」

「基本的にどこでも食べられるみたいですが、柔らかい部位の方が無難だと思います」

　マジックバッグの鑑定によると、基本的にどこの部位でも食べられるが部位によっては人間族の嚙む力では食べられない部位もあると書いていたからね。

「ここはシンプルにリブロースのステーキにしましょう！」

「賛成！　初めての竜の肉だしね。素材の味が感じられるものがいいわ！」

　肩ロースとサーロインの中間に位置するお肉だ。ここなら柔らかいし、固過ぎて食べられないなんてことにはならないだろう。

「まずは鱗を剝がしましょう」

「ええ」

　シルファと一緒に背中にある鱗を剝がしにかかる。

生きていた時はシロウの攻撃すらも阻んでいた強靱な鱗だが、死後はあっさりと手で剝がすことができるので不思議なものだ。

「……綺麗ですね」

日光に反射して輝く真紅の鱗はまるで宝石のようだ。

剝がれた後もほのかに温かく、濃密な魔力を感じる。

手で軽く叩くと澄み渡るような音が鳴った。

「これ一枚で金貨一枚以上はするから扱いは丁寧にね」

炎竜の鱗は武具に使われるとのことで一枚でもかなりの売却価格になるようだ。

「そう思うと遠慮なく砕いてしまった鱗が残念でしかならないですね」

「……ええ、本当に。でも、鱗を割らないと攻撃が通らないから仕方がないわよ」

シルファも悔しいのか泣く泣くといった表情だ。

いかに素材を傷つけずに魔物を倒せるかで冒険者活動の利益はかなり変わるようだ。

もっと実力を上げないとな。

僕たちが丁寧に鱗を剝がしていると、シロウとバクも剝がすのを手伝ってくれる。

シロウは器用に爪を使ってお肉に傷をつけないように剝がし、バクは口を開けて一枚ずつ鱗を剝がしてくれている。とても器用だ。

「損耗《そんもう》が激しい鱗をバクに食べさせてもいいですか？」

「構わないわ」

シルファから許しも出たので僕はバクに損傷した鱗を差し出す。

バクは「いいの⁉」と尋ねるようにこちらを見上げてからバクッと食べた。

バリボリと砕く音が聞こえる。

どんな味かはわからないが、本人的にとても美味しいようだ。

嬉しそうに体を震わせているバクを撫でてやる。

「……私も食べさせてあげてもいい？」

「どうぞ」

シルファも餌付けしたくなったのだろう。おずおずとバクに鱗を差し出す。

すると、バクは大きく口を開けて、鱗だけを綺麗に食べた。

「かわいい」

うちのもふもふは最高だけど、ぷにぷにも最高なのだ。

背中の鱗を引き剝がすと、赤い皮が露出した。

やや弾力のある皮をナイフで切り裂くと、炎竜の肉が露出した。

慎重にナイフを突き刺すと、リブロースの塊を取り出すことができた。

お肉を観察すると、全体的に綺麗な赤色をしている。肉質はとてもきめ細やかであり、しっかりとサシも入っていて美しい。

僕が取り出した大きなブロック肉でも全体の一割にも満たないのだから、そこらの肉とはスケールが違うな。

「調理に移ります！」

肉を切り出すと、僕はマジックバッグからスライムシートを取り出す。

シルファとシロウがシートを広げ、僕は調理に道具を並べていく。

「あら？　今日は魔道コンロは使わないの？」

「人数も多いですし、今日は豪快に焚火焼きでいこうかと！」

外で豪快に竜の肉を食べるんだ。魔道コンロで綺麗に調理していては風情《ふぜい》がないだろう。

そんなわけで今日は魔道コンロはお休みとし、僕は薪を取り出して焚火の用意をする。

僕が素早く薪を組み上げると、シロウが口から炎を吐いて着火。

枝葉を置いていくと、シロウは風魔法を行使して火種を大きく育て始める。

まるで熟練の焚火職人だ。

早く炎竜のステーキが食べたいらしくてかなり真剣な表情をしているのが面白い。

シロウは火を育てている中、僕はニンニクを薄くスライス。

それが終わると、まな板の上に炎竜の塊肉を置き、それぞれが食べやすい大きさにカットする。

「ワッフ！　ワッフ！」

「わかってるよ。シロウとバクは分厚めにするよ」

シロウは顎《あご》の力が遥かに強く、バクにはそもそもそのような概念がないので、人間を基準に食べやすい大きさにカットすると薄くて物足りないものになってしまう。そのためにシロウとバクは少し分厚いステーキの方が好みなのだ。

「シルファさんはお肉の下味をよろしくお願いします」

「任せて」

カットした肉を渡すと、シルファが塩、胡椒を振りかけて揉み込んでいく。

表面だけでなく裏面にも入念に。

その間に僕は石を組み上げて簡易的な焚火台を作り上げると、その上に巨大なフライパンをセット。

竜脂を溶かすと、スライスしたニンニクを入れて炒める。

ガーリックの匂いが漂い、ニンニクに焼き色がついてきたら下味をつけてもらったリブロース肉を六枚投入。

ジュウウウウウッとお肉の焼ける音が響き渡る。

「にゃー！　今、すごくいい音がしたー！」

「おい、早く終わらせるぞ！　肉が焼けちまう！」

後方で詰め込み作業をしているミリアとディアスからそんな声が聞こえた。

ステーキだけでもいいがちょっとした副菜も欲しいので、シルファに手伝ってもらってニンジンとアスパラガスをカットして投入。

……したのだが、シルファが切ったニンジンだけかなり形が歪《いびつ》だった。

「言わないで！　切るのが下手くそだってくらいわかってるから！」

何も言ってないが本人にも自覚があるようだった。

まあ、苦手なりに頑張ってくれているので何も言わないでおこう。

お肉が焦げないようにトングで持ち上げて裏返す。

表面にはいい焼き色がついており、とても香ばしい匂いが漂っていた。

傍ではシロウが真剣な表情でお肉を見つめており、ふんわりとした尻尾がタシタシと地面を叩いていた。

分厚いこともあって焼き上がりに時間がかかりそうなので、ここでもうひと手間をかけることにする。

砂糖、ゴマ油、酒、おろしたニンニクを取り出すと、最後に買ったばかりの醤油を取り出した。

「イツキ、まさかその黒い調味料を使うつもり？」

「ええ。ステーキにとても合うソースを使います」

シルファが顔を強張《こわば》らせる中、僕はそれらの調味料をスプーンで混ぜる。

すると、なんともいえない香ばしい匂いを放つタレとなった。

軽くスプーンですくって味見をしてみると、おおざっぱながらも焼肉のタレとなった。

うん、これだけで十分に美味しい。

「味見してみませんか？　美味しいですよ？」

「……イツキがそこまで言うなら」

味見用のスプーンを差し出すと、シルファがおそるおそるといった様子で口へ。

口に含んだ瞬間、シルファの青い瞳が大きく見開かれた。

「美味しい！　えっ、これにさっきの黒い液体が混ざってるの？」

「そうです。どんな料理にも合う万能の調味料なんです」

黒い液体というだけで忌避されていたが、ちょっとでも醬油のことを見直してくれると嬉しい。

タレを作っている間に裏面も焼けたので、今度はトングを使ってサイドにも火を通していく。

「炎竜のリブロースステーキの完成です！」

程なくすると、お肉に火が通ってステーキが完成した。

その頃にはディアスとミリアリアも詰め込み作業を終えていたようで盛りつけるためのお皿や食器を用意してくれていた。

それぞれのお皿にステーキ、ニンジン、アスパラガスを盛り付けると、僕たちはシートの上に腰を下ろす。

炎竜の肉の見た目について語り合いたいところだったが、僕も含めて全員が空腹だ。

「では、いただきましょう！」

僕が声を上げると、シロウとバクを除いた全員がフォークとナイフを手にした。

ナイフを入れると、まるで抵抗を感じさせないかのような柔らかさだった。

解体をするときに刃を差し入れた時よりも柔らかい。

肉の線維を不用意に壊さないように丁寧にカットすると、僕はすぐに口へと運んだ。

「美味しい……ッ!」

炎竜の肉を噛み締めた瞬間、内側に凝縮されたエネルギーが解放されたかのような勢いで脂が弾けた。

牛、豚、鶏、猪とも違う。力強い野生の肉の旨みだ。

肉質は程よい弾力を持ちながらも中はしっとりと柔らかい。噛むとあっさりと千切れ、噛めば噛むほどに口の中いっぱいに脂と肉の旨みが広がるようだった。

「うおおおお、これが炎竜の肉か! うめえ!」

「にゃー! 今まで食べた肉の中で一番美味しい!」

「臭みもまったくなくて、食べれば食べるほどに力が湧いてくるようだわ!」

ディアス、ミリアリア、シルファも喜びの声を上げている。

数多の魔物を討伐し、口にしてきた彼らでもそう思うのだから炎竜の美味しさは別格のようだ。

ああ、本当に美味しい。白米がないのが悔やまれるほどに。

「シロウとバクも美味しいかい?」

「ワッフ! ワッフ! ワッフ!」

かなり気に入ったのだろう。シロウが今までにないくらいに興奮しているようだ。

いつもはじっくりと味わっているバクも、ちょっと食べるペースが早い。

「あっ、醤油を使ったタレもあるので気になったら使ってみてください」

「醤油ってあの黒い液体のー？」

ミリアリアが怪訝な顔を浮かべる中、シルファが率先するようにタレをかけて食べた。

「うーん、やっぱりお肉とも合う……っ！」

シルファがうっとりとした顔を浮かべると、躊躇《ちゅうちょ》していたミリアリアとディアスは喉を鳴らしてタレへと手を伸ばした。

「うおおおおおお！　うめえ！　なんだこのタレ⁉」

「お肉との相性がピッタリだ！」

予想通りの反応に僕はクスリと笑ってしまう。

忌避感《きひかん》があっても誰でも美味しいとわかれば、それに慣れてしまうものだ。

僕も焼肉のタレをかけて食べてみる。

うん、重厚な炎竜の肉の味わいにも負けないいな。

並のソースなら炎竜の旨みと脂に負けてしまうところだが、焼肉のタレならば張り合うことができている。敢えて焼肉のタレを使ったのは正解だと言えるだろう。

「ワッフ！　ワッフ！」

「はいはい。シロウとバクもタレがほしいんだね」

それぞれの従魔からも要望があったので、ステーキに焼肉のタレをかけてあげる。塩、胡椒とはうって変わった味付けに二匹は興奮し、ガツガツと食べ始めた。

この勢いだと全員がお代わりをするに違いないな。

早めに次の仕込みをしておこう。

僕のそんな予感は見事に的中し、数分後には全員がお代わりを所望した。

炎竜のステーキの宴は、救援の冒険者が駆けつけてくるまで続いた。

●

バルドルの冒険者ギルドに戻ると、『巨人の剣』が生還したことによりフロア内は歓喜に満たされた。

ディアスたちは森で炎竜と遭遇し、生存が絶望的と思われていただけに生還した時の熱量は凄まじい。

さらに討伐したことを報告すると、フロア内はさらに沸き立った。炎竜の討伐ランクはAと高く、英雄レベルの活躍に値するそうだ。

そのままややこしいことは抜きでお祝いに突入すれば良かったのだが、そうはならなかった。炎竜討伐の報告の中で僕の名前が挙がったからである。

僕は受付嬢に呼び出されて怒られた。

当然だ。受付嬢の言葉を無視し、勝手にディアスたちの救援に向かったのだから。

本来ならば、何かしらのペナルティが課せられるところであるが、『巨人の剣』のメンバーと救援に駆けつけた冒険者が強く抗議《こうぎ》したことで厳重注意に留まった。

きちんと救援に間に合い、炎竜討伐の一助になったので良かったものの、通常なら二次被害になる確率の方が高い。ギルド側の言い分ももっともだ。

まあ、結果としてディアス、シルファ、ミリアリアを助けることができたので悔いはないけどね。

そんな風に怒られてしまった僕であるが、なんとランクがCに上がった。

パーティーの救難を果たしたこと、炎竜討伐に大活躍したことが評価されてのことのようだ。

クイーンビーの討伐を果たし、もともとDランク間近だったところに大きな功績が加わったことで一気に二段階の昇格となったようだ。

こういった事態はとても珍しいらしく、ギルド内でも驚いているものが多かった。

あまりランクには興味がないが、シロウとバクを守るための力があるに越したことはない。その日は『巨人の剣』の生還祝いと、僕のランクアップをお祝いしてギルドで盛大に呑み明かした。

炎竜を討伐してから数日。

僕とシロウとバクは街の外にある平原にやってきていた。

英気を養うための休憩といえば聞こえはいいが、実際のところは自主的な謹慎《きんしん》である。

大きな功績《こうせき》があるとはいえ、ギルドに怒られてすぐに何食わぬ顔で顔を出すほど僕の面《つら》の皮は厚くなかったわけだ。

とはいえ、炎竜との戦いが激しかったことは事実なので、シロウ、バクを労うための休日でもある。

……僕？　僕についてはこうやってシロウとバクと戯れているだけで幸せなので何も問題はなかった。

ゴロンと平原の上で横になり、シロウのお腹を枕替わりにする。

「もふもふに包まれて幸せだぁ」

シロウが大きくなったら一度でいいからこれをやってみたかったんだよね。

とても気持ちいい。巨大な何かに包まれているだけで、人はこんなにも安心できるものなんだ。

仰向けになって寝転んでいると、バクが僕のお腹に乗ってくる。

自分にも構えということだろう。僕はバクを抱きかかえてあげる。

ひんやりとしており、程よい弾力が気持ちいい。

重さもちょうど良く実に収まりが良かった。

「ワッフ！　ワッフ！」

そうやって目をつむっていると、シロウがゆっくりと上体を起こして声を上げた。

シロウを枕にしていた僕の頭が持ち上がり、強制的に意識が覚醒《かくせい》させられる。

シロウの視線を追いかけると、僕たちを囲むようにして兎が近づいてきていた。

紫色のふっさりとした体毛に額に生えた角。間違いないホーンラビットだ。

数は五匹。今の僕らにとって敵じゃない。

「昼食は久しぶりにホーンラビットのシチューにしようか」

「ワッフ！」

立ち上がりながら言うと、シロウが賛成とばかりに吠えて、バクが嬉しそうに身を震わせた。

シロウもバクもホーンラビットのシチューが大好きだからな。

僕たちが臨戦態勢に入ると、ただならぬ食欲を感じたのかホーンラビットがじりじりと後退していく。

「マズい！　逃げるつもりだ！　急いで狩るよ！」

マジックバッグに大量の食料は入っているが、僕たちの胃袋はすっかりとシチューになっている。ここでホーンラビットを逃がすわけにはいかない。

シロウが即座にホーンラビットを追いかけ、僕もバクを肩に乗せると後ろを追いかける。

なんだか休日でも、冒険みたいになっちゃっているな。

でも、そんな休日も悪くない。

こんな風に平原を駆け回ることも、誰かと一緒に過ごすことなんて前世ではできなかった。

生まれる世界を間違えたが故に、前世では辛いことも多かったが、こうして僕は健康な身体を手に入れることができ、相棒であるシロウ、バクと出会うことができた。セセリア、ノノア、グラント、ディアス、シルファ、ミリアリアといったこの世界での素敵な出会いもあったので結果的には女神には感謝している。

他の国や街にも行ってみたいし、美味しい食材を食べたい。冒険してみたい場所や、見に行きたい絶景があったりと、この世界でやりたいことはたくさんあるけど、今はこうやってもふもふたちと異世界を冒険し、メシを食べるだけで十分に幸せだ。

あとがき

本書をお手にとっていただき、ありがとうございます。原作者の錬金王です。

『もふもふと異世界冒険メシ』の1巻はいかがだったでしょうか？

本作品はタイトルからわかると思いますが、もふもふと異世界で冒険をしながらメシを食べるというシンプルなものです。

日常系を得意としており、いくつもの作品を刊行しておりますが、もふもふをメインに据えた話は初めてでした。

本作を執筆するにあたって悩んだことが、従魔となるフェンリルのシロウ、グラトニースライムのバクが喋ることができるかどうか。

非常に悩みました。

喋ることができれば、感情表情はとても豊かな上にストーリーの進行もしやすく、とても書きやすいです。

しかし、私の中では動物たちは人間と同じ言語は操ることはできないといったイメージもあり、本作品では従魔たちと意思の疎通こそできるものの、喋ることはできないという設定で進むことにしました。

話すことができないので喋っているのは基本的に主人公のイッキになりますし、シロウたちの仕草、表情、行動で彼らが何を思っているのか、何を考えているのかを表現しないといけません。

これが中々に難しかったのですが、人間ではないキャラの心情を考えて書くのは中々に楽しかったです。

また今回はもふもふだけでなく、ご飯の方もメインテーマの一つとして据えさせていただきました。

どのような食べ物を再現したら美味しく見えるだろう。

どんなファンタジー食材であれば、美味しそうと思ってもらえるだろうと試行錯誤しながら考えて書いてみました。

シロウやバクと食べてみたい料理はとても多く、1巻の中でどんな料理を食べさせるのかとても悩みましたね。

皆さんの一押しの食材や料理はなんでしょう?

私としてはクイーンビーから採取できる黄金蜜がお気に入りですね。

キラキラと輝くねっとりとした蜂蜜を、サクサクとした巣と一緒に食べる。

想像しただけで美味しそうで、書き終わった後は近所にある甘味屋に駆け込んでしまいました。

1巻だけでは書き切れなかった料理がたくさんあるので、もし2巻を刊行できるようであれば色々と料理を描写したいですね。

さて、私の感想はこの辺りにしておき、関係者様への謝辞などに入らせていただきます。

本作品を担当してくださった担当編集、および編集部の皆様。

色々とスケジュールが詰まっていた中、迅速に柔軟に対応していただきありがとうございます。

こうやって無事に刊行ができたのは皆様に支えられたからです。ご迷惑をおかけしました。

次があれば、ご迷惑はできるだけかけないようにし、文字数も抑えたいと思います。

イラストを担当してくださいました、人米先生。

この度は素敵なイラストをありがとうございます。

イッキ、シロウ、バクのデザインがあまりにもイメージとピッタリだったので驚きました。

カバーやモノクロイラストも素晴らしいのですが、キラービーとの戦闘シーンを切り抜いた口絵には度肝を抜かれました。シロウの動き、イツキの凜々しい表情、派手な魔法のエフェクト、そして今にも襲いかかってきそうなキラービーたちがとても精緻で感動しました。

本当にありがとうございます。

2巻も刊行することができましたら、また是非ともお願いしたいです。

また、本作品ですがコミカライズが決定しております。

担当してくださるのは、すひよるいす先生です。

イツキ、シロウ、バクたちが既にデザインされており、とても可愛らしいです。

連載開始がとても楽しみです。

それではまた小説の2巻、あるいはコミックの1巻でお会いできることを祈っております。

——錬金王

Jノベルライト文庫

◆転生した元英雄の自堕落スローライフ！
…のはずが、王女を助けたことにより予想外の展開に…!?

前世、英雄。2回目の人生は遊びまくろうと思います。

〔著〕楓原こうた〔イラスト〕福きつね

英雄として、多くの人々を救ってきたサク。鏡を操る『世界』という究極魔術の使い手であったが、戦いの中で大切な幼馴染を守れず、悲しみと後悔の念を抱きつつ自身も絶命してしまう。

しかし、200年後の公爵家嫡男として転生。今度の人生は、大切な人を守るためだけに力を使おうと、実力を隠し自堕落な生活を送ると決意するが、偶然助けた女性が第一王女とわかり、思わぬ展開に……。

はたしてサクは今度こそ大切な人を守れるのか!? スローライフを送りたい自堕落貴族（前世英雄）の異世界ファンタジー、ここに開幕!!

発行／実業之日本社　定価／792円（本体720円）⑩　ISBN978-4-408-55827-1

本作品はフィクションです。実在の人物・
団体・事件等とは一切関係ありません。

Jノベルライト文庫

もふもふと異《い》世《せ》界《かい》冒《ぼう》険《けん》メシ

2023年11月4日　初版第1刷発行

著　　者　錬《れん》金《きん》王《おう》

イラスト　人《ひと》米《ごめ》

発 行 者　岩野裕一

発 行 所　株式会社実業之日本社
〒107-0062　東京都港区南青山6-6-22 emergence2
電話（編集）03-6809-0473
　　（販売）03-6809-0495
実業之日本社ホームページ　https://www.j-n.co.jp/

印刷・製本　大日本印刷株式会社

装　　丁　AFTERGLOW

D　T　P　ラッシュ

ISBN978-4-408-55826-4（第二漫画）